LEYENDAS ÉPICAS ESPAÑOLAS

ODRES NUEVOS

CLÁSICOS MEDIEVALES EN CASTELLANO ACTUAL

COLECCIÓN DIRIGIDA POR
M A R Í A   B R E Y   M A R I Ñ O

❖

La presente colección consta de diez volúmenes

POEMA DEL MIO CID
LIBRO DE APOLONIO
LEYENDAS ÉPICAS MEDIEVALES
FERNÁN GONZÁLEZ
EL CONDE LUCANOR
LIBRO DE BUEN AMOR
MILAGROS DE NUESTRA SEÑORA
TEATRO MEDIEVAL
LIBRO DE LA CAZA DE LAS AVES
LAPIDARIO

ODRES   NUEVOS

*aspira a hacer accesibles al gran público, por
vez primera, los monumentos de la
primitiva literatura española*

LEYENDAS ÉPICAS ESPAÑOLAS

Versión española de los poemas perdidos

por

ROSA CASTILLO

Catedrática de Instituto

con un prólogo de

ENRIQUE MORENO BÁEZ

QUINTA EDICIÓN

Él vierta añejo vino en odres nuevos
M. Menéndez y Pelayo

EDITORIAL CASTALIA

‹ODRES NUEVOS›

1 9 7 6

© EDITORIAL CASTALIA — Zurbano, 39 — Tlf. 4195857
Madrid (10)

IMPRESO EN ESPAÑA — PRINTED IN SPAIN

I.S.B.N. 84-7039-111-9

DEPÓSITO LEGAL: V. 782 - 1976

ARTES GRÁFICAS SOLER, S. A. — JÁVEA, 28 — VALENCIA (8) — 1976

A nuestros hijos

PRÓLOGO

Desde *muy antiguo los pueblos germánicos acostumbraron a celebrar en verso sus míticos orígenes y las hazañas de sus héroes. Ya nos dice Tácito que en su tiempo cantaban la victoria de Arminio contra los romanos. No es extraño que al invadir estos pueblos el imperio extendieran el hábito de componer y el gusto de oír relatos épicos a otras regiones, y que andando los tiempos Inglaterra, Francia y España fueran a tener epopeyas en sus propios idiomas. De los godos, que son los germanos que más particularmente nos interesan, nos dice Jordanes en el siglo VI que «cantaban con modulaciones, acompañándose con la cítara, los altos hechos de sus antepasados» y aun menciona a cuatro de sus héroes, dos de los cuales eran visigodos, es decir, de la rama que invadió la Península y que fundó aquí lo que, sin la venida de los árabes, hubiera sido nuestro primer estado nacional.*

El intenso grado de latinización de los visigodos al llegar a España ha hecho creer a algunos historiadores que ya entonces habían olvidado su tradición épica. Ya ha hecho notar Menéndez Pidal, de cuyas teorías e investigaciones es este prólogo mera síntesis, cómo la crónica de Hidacio nos habla de una asamblea celebrada bajo la presidencia del rey Eurico, durante la cual las puntas de los venablos que los nobles godos tenían en las manos cambiaron prodigiosamente de color, y unas se pusieron verdes, otras rosadas, otras rojas y otras negras, detalle poético que parece de origen épico, y cómo el Walter de España, contemporáneo de Atila, de que nos hablan poemas alemanes como los Nibelungos y el Biterolf y la Thidrekssaga noruega, convertido en Walter de Aquitania en el poema latino que le consagra en el siglo X un monje de S. Gall, es verosímil-

mente un héroe visigodo, en cuya alternancia de apellidos se conserva el recuerdo de los tiempos de Atila, en que el reino godo se extendía hasta el Loira. No podemos dudar de que el romance de la liberación de Melisenda por don Gaiferos, tan familiar a los lectores del Quijote, está influido por el relato de la liberación de la mujer de Walter, que tenía en rehén el rey de los hunos, aunque quizás haya que admitir que fue Francia y no España la que conservó y nos transmitió luego su recuerdo. Según Krappe, muy claro y visible es el de la leyenda de Ermanrico, que refiere Jordanes, en la de la caída del reino godo. Entwistle vio también cierta relación entre otra leyenda de las de Jordanes y la del conde Fernán González.

Al caer la monarquía goda la costumbre de poetizar lo que pareciera digno de recuerdo debió de continuar, tanto entre los cristianos que vivían sometidos a los musulmanes como entre los que lograron mantener su independencia en el norte de España. Aunque hoy conservemos solo la sustancia de los relatos con que los primeros referían la caída del reino godo y los segundos el comienzo de la Reconquista y no sepamos nada de su forma, su carácter poético y la existencia anterior de una épica visigoda y la posterior de una épica castellana, fuertemente teñida de germanismo, fundamenta la hipótesis de que estuvieran escritos en verso y de que existiera por tanto una épica mozárabe y otra asturiana o, mejor dicho astur-leonesa, que serían eslabones entre la visigoda y la castellana. Tal diversificación regional de un común tronco épico sería paralela a la que observamos en la poesía lírica, donde la jarcha mozárabe, el cantar de amigo galaico-portugués y el villancico castellano atestiguan la existencia de un fondo lírico tradicional común a todas las regiones de España y anterior a la llegada de los musulmanes. El que los visigodos, al abandonar el uso de su idioma, continuaran celebrando los hechos heroicos, bien en latín o bien en el romance que familiarmente habían adoptado, es muy verosímil, aunque tengamos que suponer que la versificación fuera al principio muy torpe y ruda.

Relato épico de origen mozárabe, y por ello desconocido durante siglos entre los cristianos del norte, es el de la caída del reino godo. Sus dos versiones, la que hace a Vitiza autor de la deshonra de la hija del conde don Julián y la que hace a Rodrigo, reflejan los sen-

*timientos de los dos partidos, vitizanos y antivitizanos, en que los
mozárabes se dividían. Fue probablemente el rencor de los últimos
contra la familia que, para asegurarse la corona, había traído a los
moros a España, y que luego, para conservar las tierras que habían
sido el precio de su defección y el favor de los emires, los servía
dócilmente, lo que acumula tan espesas sombras sobre Vitiza y,
haciendo de Rodrigo víctima inocente de las maldades de su antecesor, explica la derrota cristiana por la traición de don Julián y de los
vitizanos. Tal es la versión más antigua y simple, que conocemos
a través de una crónica escrita en árabe a fines del IX o comienzos
del X por un muladí toledano y traducida luego al latín, la que llama
a Vitiza Getiço y nos dice que, estando en Sevilla, el rey oyc pon-
derar mucho la hermosura de la hija de Julián, el conde de Tánger,
por lo que resuelve llamar al padre, entretenerle con festines y
escribir en su nombre a su mujer e hija para que vengan a la corte,
donde estupra a ésta sin que el padre se entere de que están allí;
hasta que un día el conde ve a un escudero suyo, por el que se
informa de lo sucedido, y, abandonando a la hija, huye con la madre
a África e invita a venir a España a los musulmanes, que toman
Sevilla y, muerto Getiço, triunfan de Rodrigo, su sucesor, por la
traición de los hijos de aquél. Con la variante de suponer que el rey,
que aquí se llama Otiza, manda a África a Julián a cobrar tributos
y durante su ausencia viola a su hija, de la que ya estaba enamorado, y los aditamentos de que el conde, al volver, aconseje al rey
que mande destruir todas las armas que haya en España y de que
los moros, para asustar a los cristianos, simulen comerse a los prisioneros, la versión antivitizana se encuentra también a finales del
XIII en el mozárabe S. Pedro Pascual. Solo es recogida por un autor
árabe, Ishaq ben al-Husayn, que escribe en el X, y en el XIV por
Ben Jaldún. El que la crónica mozárabe cordobesa de 754 no conozca
ninguna de las dos versiones de la leyenda prueba que tardó cierto
tiempo en formarse; las variantes que aparecen, aun dentro de la
misma versión, prueban a su vez que estuvo sometida a un proceso
de continua reelaboración que la enriquecería con nuevos episodios.*

*No podía ser grato a los vitizanos, que estaban al servicio de
los musulmanes y formaban la nobleza mozárabe por haber huido
al norte todos los señores del otro partido, un relato épico tan favo-
rable al rey don Rodrigo. Surge entonces la versión en que el for-*

zador es éste, que es la que propalan los autores árabes, muy influidos por los vitizanos. En ella se agregan al núcleo central de la leyenda, que es el estupro de la hija del conde, el episodio del palacio cerrado en Toledo, que Rodrigo decidió abrir creyendo que hallaría grandes riquezas, para encontrar solo figuras y letras que anunciaban la venida de los musulmanes y el de su simulada antropofagia, que pasaría luego a la versión antivitizana, en la que aparece muy tardíamente.

El primer testimonio de la existencia de la leyenda del rey Rodrigo nos lo ofrece el escritor egipcio Ben 'Abd al-Hákam en el siglo IX; en el X la encontramos en un español, descendiente de Vitiza, Ben al-Qutiya, que, deseoso de disminuir la importancia de don Julián como introductor del Islam en España para aumentar la de su familia, convierte al conde en un vendedor de caballos y halcones, que enviado a África por Rodrigo y no teniendo a quién confiar su hermosa hija, por ser viudo, la deja en palacio, donde el rey la estupra. Esta variante no es aceptada por nadie más, ya que un poco antes el moro Rasis y en el XII el Kitab al iktifá' *y el* Fath al-Andalus *nos ofrecen el relato épico vitizano en la forma que ya era tradicional, explicando la presencia en la corte de la hija del conde por la costumbre de los reyes de educar en palacio a los hijos de los magnates. Los tres nos dicen que la muchacha, a quien después de la violación no le dejan escribir al padre, envía a éste, entre otros regalos, un huevo podrido, lo que hace que el conde, reflexionando, comprenda lo ocurrido y vaya a la corte en busca de su hija. Otro detalle que enriquece el relato es la desaparición del rey en la batalla del Guadalete, dejando tras sí su caballo, su rico manto y una bota o sandalia, que se encuentra por primera vez en el* Ajbar Maymu'a, *que es del siglo X.*

Es muy curioso que al pasar la leyenda a los reinos cristianos, lo que no hay indicios de que sucediera antes de la conquista de Toledo, sea la versión que hace de Rodrigo autor del estupro la que se difunde, enriquecida con el detalle, desconocido entre los mozárabes, del sepulcro suyo hallado en Viseo en la época de Alfonso III, cuya crónica, de donde lo toman todas las demás, es la primera que nos lo refiere. La razón de la preferencia por Rodrigo habría de buscarse a nuestro entender en la impetuosa temeridad con que resuelve entrar en la casa encantada, en el valor con que pelea con

*los musulmanes y en su desastrado y trágico fin; es decir, en todo
lo que le hace ser figura más compleja que el malvado Vitiza y más
capaz, por tanto, de conmover a los que oyeran contar su historia.
La misma descripción del rey en la batalla, con su litera o silla de
marfil, con corona de oro y ricas vestiduras, hacía su ruina aún más
lastimosa. De todo ello se apodera el juglar que escribe en el XII
un poema, hoy perdido, pero que influye mucho sobre la* Chanson
de Anseïs de Cartage, *cuya redacción actual, de principios del XIII,
refunde otra anterior perdida. En esta* chanson *la hermosa Leutisse,
hija de Ysoré, consejero del rey Anseïs, que Carlomagno ha dejado
en España, quiere casarse con el rey y, al convencerse de que es imposible, se introduce, al amparo de la oscuridad y en ausencia de
su padre, en el lecho de él, que la deshonra sin conocerla. El deseo
de Leutisse de casarse con Anseïs nos parece un eco de lo que nos
dicen don Lucas de Tuy, don Rodrigo Jiménez de Rada y la crónica de Alfonso el Sabio del proyecto de matrimonio entre don
Rodrigo y la hija del conde. El que en el XIII se hable de ello y lo
ignore, a comienzos del XII, la* Historia Silense, *nos hace sospechar
que tales conciertos fuesen inventados por los juglares para hacer
más odiosa la acción de Rodrigo. También debe de ser de origen
juglaresco la violación por el rey de la mujer del conde, en lugar
de la hija, variante a que alude Jiménez de Rada, pero que sólo
se generaliza en la segunda mitad del XIII, como si fuera hija del
deseo de novedad de algún refundidor.*

*Hay que lamentar que cuando redactan los colaboradores de
Alfonso el Sabio los capítulos de la* Crónica general *referentes al
rey Rodrigo no prosifiquen el cantar, sino traduzcan a Jiménez
de Rada, quien funde en su historia todas las fuentes de que disponía. Pero como el texto de la crónica, aunque no proceda de
ninguna gesta, quizás por no ser entonces sus redactores tan favorables a ellas como luego lo fueron, nos ofrece el estado de la leyenda a fines del XIII, él ha sido la base del que aquí se publica, del
que se ha suprimido toda alusión a la desdichada y tardía variante
de la condesa forzada en lugar de su hija, debida, según Von
Richthofen, a una nueva influencia de la leyenda de Ermanrico,
ejercida a través de la épica escandinava y del* Buern Bucecarle.

*Aún habría la leyenda de don Rodrigo de enriquecerse con más
episodios que le hacen perder su sobriedad de líneas. El primer*

*paso en este sentido lo da a comienzos del XIV el portugués Gil
Peres, al traducir a su idioma, con ayuda del maestro Mahómad,
la crónica del moro Rasis, cuyo original hoy desconocemos, noveli-
zando mucho los capítulos referentes a don Rodrigo, que con el resto
de ella se incorpora a la* Crónica de 1344. *Esta versión, cuyas variantes no se cree sean de origen épico, es la primera que da a la
hija del conde el nombre de Alacaba, Alataba o la Taba. Aún más
extenso es el desarrollo de la leyenda en la refundición de la* Crónica
de 1344 *hecha a mediados del siglo XV por un converso toledano,
y en la* Crónica sarracina, *historia de Rodrigo escrita por Pedro
del Corral muy poco tiempo antes, y que con sus 518 capítulos tiene
mucho más de libro de caballerías que de relato épico. Aunque el
esquema de estas dos versiones coincida en lo esencial con la de la*
Crónica de 1344, *los aditamentos que les son comunes y el hecho
de que nunca vacilen en llamar a la hija del conde Caba o la Caba
nos revelan una fuente común, que bien podría ser un texto de Gil
Peres, más prolijo y retocado que el recogido en 1344. El más
fecundo de los episodios con que se enriquece la leyenda en el
siglo XIV es el de la penitencia de Rodrigo, que después de la
batalla se dirige a Viseo, donde vive oscuramente y a quien se le
impone a la hora de la muerte como penitencia el meterse en una
cueva o sepulcro con una culebra, que le va comiendo poco a poco,
hasta que en el momento de expirar el rey, tañen las campanas de
la ciudad, lo que significa que se ha salvado.*

*Con Pedro del Corral la historia de Rodrigo toma carácter no-
velesco. Abundan en su obra los torneos, las fiestas de corte, las
apariciones, los amores, las batallas; solo las figuras del rey y del
conde conservan la grandeza trágica que habían recibido de los
juglares y que conservarían a lo largo de toda su vida literaria,
que aún sería muy larga.*

*También es de origen mozárabe la leyenda de Teodomiro, conde
de Murcia, que, habiendo perdido en una batalla a todos sus hombres, logra de los moros muy ventajosas condiciones de paz, poniendo en la muralla a las mujeres con el pelo cortado y cañas en las
manos a modo de lanzas. La brevedad del relato, sólo conservado
en el Ajbar Maymu'a y que probablemente pasó de allí a Jiménez
de Rada y luego a la* Crónica general, *tan fiel al arzobispo que
repite su error de que Murcia es el nombre moderno de Orihuela,*

no nos permite conjeturar nada sobre su carácter. Su difusión tuvo que ser escasa.

La épica de la Reconquista comienza con el relato de la batalla de Covadonga, que aparece por primera vez en la crónica de Alfonso III, de finales del IX, en cuya segunda redacción se lo simplificó para ponerlo a tono con el resto de ella. Los amores de Munusa y la hermana de Pelayo, la dramática huida de éste, su exhortación a los cristianos para que no se sometan a los musulmanes, su diálogo con don Opas y hasta los milagros que determinan la victoria cristiana y la muerte de los que escapaban nos revelan que Alfonso III tuvo a la vista un texto poético, impregnado de religiosidad, como lo estaba toda la cultura de aquel reino. Pero este poema ni se enriquece con nuevos episodios ni influye en otros ni debió de cantarse desde el momento en que la épica castellana arrincona a la leonesa, que quizás no pasó de un estado embrionario. Por eso las crónicas posteriores no prosifican el poema, hoy perdido y cuyo carácter juglaresco es más que dudoso, sino que se copian unas a las otras.

También el relato de la abdicación de don Alfonso el Magno en Sampiro parece tener una fuente poética. Fuera de que los documentos no confirman lo que aquí se nos cuenta, las intrigas de la reina, la resistencia del anciano monarca a dejar la corona y su plausible deseo de mostrar, después de hacerlo, de lo que aún es capaz, guerreando contra los moros, le dan tensión épica a todo ello. Tampoco es histórica, sino legendaria, la muerte de los condes castellanos por Ordoño II, contada por Sampiro con curiosos detalles y que tiene en don Lucas de Tuy variantes que solo pueden proceder de fuentes no cronísticas.

El conde Fernán González reúne en su mano y vincula en su descendencia todo el territorio de Castilla, con lo que funda un estado llamado a ejercer la hegemonía sobre la Península y que se revuelve contra León, con afán, no ya de independencia, sino de creadora originalidad y porque el excesivo conservadurismo de este reino, que blasonaba de continuar la monarquía goda, obstaculizaba su desarrollo y aun el avance de la Reconquista. No es casual que en el relato en que se nos cuenta su primer acto de rebeldía se quejen los castellanos de la ineficacia militar del rey de León, y basta leer las victorias de Sancho García contra los cordobeses, de Sancho II contra sus hermanos y del Cid contra los almorávides para *comprender que los castellanos habían inventado una nueva estrategia, cuyos detalles no conocemos, pero que por fundarse en el empleo de una numerosa caballería debía de relacionarse con la nueva y hoy diríamos muy avanzada organización social del país.*

Pero esta originalidad de Castilla no se limita a lo militar. Dice una tradición que al independizarse los castellanos resolvieron quemar en Burgos todas las copias del Fuero Juzgo, código visigodo que regía en León, y que dispusieron que en adelante todos los jueces sentenciasen por albedrío, es decir, según su buen entendimiento y atendiendo, no a la ley escrita, sino a la costumbre. Esto, que daría valor jurídico a muchas prácticas muy populares de origen germánico, que no había aceptado el legislador, nos muestra de qué modo Castilla se apoya en lo actual y vivo contra lo viejo y anquilosado.

Aún mayor es la originalidad de Castilla en el orden lingüístico, ya que no solo fija su dialecto antes que las demás regiones españolas, sino que lo convierte en lengua literaria mediante el cultivo de una poesía épica mucho más lozana que la mozárabe y la leonesa, y que si al principio se limita a cantar las hazañas de sus condes y reyes, pronto supera todo localismo, tratando temas de resonancia peninsular y que tendrían por tanto mayor difusión, a la que acompaña la del idioma, que de este modo da el primer paso para convertirse en la lengua común de todos los hispanos.

Ya hemos hablado del germanismo de la epopeya castellana, que es un reflejo del de sus costumbres y su derecho. Usos germánicos son la fidelidad con que los vasallos siguen al señor dondequiera que va; el que éstos les consulten sus decisiones, lo que lleva a la celebración de grandes asambleas, a las que la asistencia es obligatoria; el que parientes y vasallos tengan que vengar la ofensa hecha al señor o al deudo, deber que engendra enemistades hereditarias; el que la honra del marido ofendido solo se restaure con la sangre de la adúltera y de su cómplice; el que los pleitos se diriman mediante el combate de dos campeones; el que los héroes pronuncien votos muy difíciles de cumplir; el que las espadas tengan nombre propio; el que el manto de una señora sea asilo inviolable; el que al héroe agrade pelear, como al Cid en Valencia, ante su mujer; hasta la costumbre de consultar el vuelo de las aves puede ser germánica, si ya no fuere una superstición de origen romano.

Los más antiguos poemas castellanos deben de ser de finales del X o principios del XI. Los que, por no conservarse ninguno anterior al del Cid, *que es del XII, dudan esto, no se dan cuenta de que este poema, lejos de ser una obra primitiva, es una obra que por su equilibrio marca el momento de la madurez del género a que pertenece, y que basta comparar la misma amplitud con que su argumento está desarrollado, el uso que su autor hace de lo cómico y de lo patético o las virtudes con que adorna a su héroe, siempre dueño de sí, con la rapidez de la acción y la simplicidad de líneas de un cantar como el de los* Siete infantes de Salas, *cuyos personajes son dominados por la ira y el espíritu de venganza y que refleja la rudeza de unas costumbres que por fuerza han de ser anteriores, para comprender que entre uno y otro tuvo que pasar bastante tiempo, en el que hubo en Castilla un cambio profundo en los sentimientos y en las ideas, que hay que atribuir al influjo de los cluniacenses.*

Esto no disminuye el valor estético de la Gesta de los Siete Infantes, *fundado precisamente en las cualidades que más lo alejan del* Cantar del Cid. *El que su autor vaya derecho al fin que se propone, sin remansarse en ningún episodio ni introducir más que los personajes imprescindibles para contar la muerte alevosa de los infantes y el castigo del traidor, es un rasgo de primitivismo que da al poema austeridad de líneas y que hace·que su acción resulte más ceñida que la del* Mío Cid. *La misma violencia de las costumbres que aquí se nos pintan y que crea una atmósfera tan distinta de la que se respira en aquel poema, dominado por la mesura y en el que hasta la venganza toma la forma de reparación legalmente obtenida, contribuye a su sombría belleza, como de cielo tormentoso y aborrascado, mientras que la violencia de las pasiones que se apoderan de los personajes les da a sus figuras la grandiosidad de las de esos frescos donde todo parece muy por encima del natural.*

A estas cualidades hay que agregar la habilidad con que el autor, viendo la imposibilidad de interesar a los oyentes por cada uno de los infantes, proyecta hacia el más pequeño su simpatía y deja a los otros en la penumbra; prepara nuestro ánimo para la catástrofe con la promesa que Ruy Velázquez hace a su mujer y con los agüeros; pinta las vacilaciones de Nuño Salido, que si por un lado quiere volverse, por otro cree que su deber es morir con los

que ha criado; cuenta con sabia lentitud la muerte de los infantes,
de modo que renazcan nuestras esperanzas de que no mueran; y,
finalmente, concentra todo el patetismo de que el poema está tan
cargado en la escena del llanto de Gonzalo Gustios.

Ya se ha hecho notar cómo la dependencia en que aquí los
cristianos se encuentran con respecto a los moros y concretamente
con respecto a Almanzor prueba que la primera redacción del cantar no es muy posterior al final de tal dependencia con la muerte
de éste. Añadamos nosotros que la generosidad de Viara y de
Galve al querer salvar las vidas de los infantes, y la de Almanzor
con Gonzalo Gustios, al proyectar toda la odiosidad sobre un castellano como Ruy Velázquez, muestran que Castilla aún no había
adquirido ese sentimiento de la propia personalidad que es tan visible en el Cerco de Zamora, de fines del XI.

El que no haya de este poema noticias anteriores a la crónica
de Alfonso el Sabio nos impide estudiar la formación de la leyenda.
Documentalmente está atestiguada la existencia de un Ruy Velázquez, de un Gonzalo Gustios y de un Diego González en Castilla
durante el reinado de Garci Fernández. El historiador árabe Ben
Hayyán habla de unos embajadores castellanos presos en Córdoba
en agosto del 974, y de un ataque contra Deza, muy cerca del sitio
donde se supone mueren los infantes, hecho por Garci Fernández
al mes siguiente, la noticia del cual llega a Córdoba el 12, es decir,
un día antes del que tradicionalmente se señala como de la llegada
de las cabezas; también menciona a un caudillo moro, gobernador de
Medinaceli, llamado Galib, que sería el Galve del poema. Difícil
es reconstruir, con tales datos, el esquema inicial, que posteriormente se enriquecería con nuevos episodios. El del nacimiento de Mudarra se parece mucho al del nacimiento de Galiens, héroe de una
chanson del XII, sin que sea posible precisar quién imitó a quién.
Martín de Riquer ha señalado la posible influencia del cantar castellano sobre el de los hijos de Aymeri de Narbona. Las coincidencias
que se perciben entre la gesta de los Siete infantes y varias leyendas
de las recogidas por la Thidrekssaga aún no han sido satisfactoria-
mente explicadas, ya que el conceder, como hace Von Richthofen,
prioridad a ésta por haber sido redactada a mediados del XIII y
creer la versión de los Siete infantes prosificada por la crónica

de Alfonso el Sabio contemporánea de ésta, es absurdo por lo gratuita que resulta la última suposición.

Pero si ignoramos el proceso de elaboración de esta leyenda, conocemos muy bien su evolución posterior y nos consta que hubo una refundición del texto conocido en el siglo XIII, del que se aparta por anteponer al relato de las bodas de Ruy Velázquez el del cerco de Zamora por Garci Fernández, que le concede a aquél la mano de doña Lambra como recompensa de sus servicios, y por dilatar la muerte del traidor, que huye de Mudarra por toda Castilla y es castigado con más crueldad. Tal es la gesta que conoció la Crónica de 1344, *y que debió de redactarse a comienzos del siglo XIV. Aún hubo otra nueva redacción, de principios del XV, que tuvo a la vista el converso toledano que refundiría la* Crónica de 1344.

De los poemas destinados a celebrar a los condes de Castilla es de suponer que sería el más antiguo el Fernán González. *A él también glorifica el relato épico de la elección de jueces o alcaldes, ya que uno de ellos, Nuño Rasura, es abuelo suyo, y a ambos sucede como primer conde su propio padre. El que esta leyenda, a la que creemos se añadió en el XIII el que el Cid descendía del otro alcalde, lo que se se dice en la crónica de Alfonso el Sabio, pero no en don Rodrigo Jiménez de Rada ni en ningún otro texto anterior a él, tenga como fin el legitimar la vinculación del condado en la descendencia de Fernán González nos hace suponer que surgiría en la época de los condes y no cuando eran reyes de Castilla los descendientes de Sancho el Mayor.*

La leyenda de Fernán González, tema de un cantar juglaresco conocido en el XII por el autor de la Crónica Najerense, *nos ha sido conservada por un poema de clerecía de mediados del XIII, obra de un monje de S. Pedro de Arlanza, que debió de añadir de su propia cosecha algunos episodios de sabor bien poco juglaresco. Como este poema se publica en otro de los tomos de esta colección no creemos necesario detenernos en él. Baste decir que la leyenda influye en un cantar francés muy tardío y hoy perdido, el* Hernaut de Beaulande.

El de la Condesa traidora, *mujer del conde Garci Fernández y madre del conde Sancho García, parece también ser muy antiguo. Aunque es mucho más novelesco que histórico, se ha dicho que refleja la animadversión de los castellanos hacia doña Aba, hija del conde de Ribagorza que efectivamente casó con el de Castilla y que por venir de tierras pirenaicas, donde eran frecuentes las alianzas matrimoniales con los reyes moros, debió de ser inclinada a tales componendas y probablemente estuvo de acuerdo con Almanzor y con Sancho García al sublevarse éste contra su padre con ayuda de aquél. La Najerense, que nos da el estado de la leyenda a mediados del XII, habla de los tratos de la condesa con Almanzor, de cómo se deshace de su marido y de su intento de envenenar a su propio hijo, a quien salva la vida una esclavita mora. A ello se agrega posteriormente el primer matrimonio de Garci Fernández, que, abandonado por su mujer, mata a ella y al cómplice con la ayuda de la hija de éste, con quien se casa; también se altera el final del poema, donde la esclavita es sustituida por la camarera que tiene amores con el montero, lo que sirve para explicar el origen de un cuerpo que ha existido hasta nuestros días y donde se da valor expiatorio a la fundación del monasterio de Oña, panteón de aquella dinastía.*

El tema del consejo artero, que aquí la condesa da a su marido, se encuentra también en algunas versiones de la leyenda de la caída del reino godo, donde Julián se vale de ello para perder al que le ha deshonrado, en la vida de Childerico, contada por Fredegario y los Gesta Regum Francorum *y en la historia de Ermanrico, recogida por varios textos alemanes y por la* Thidrekssaga *noruega; el frustrado envenenamiento en la de la reina lombarda Rosmunda, transmitida por Paulo Diácono y Agnello de Ravenna, y en la de Cleopatra, reina de Siria, que conocemos por Apiano y Justino. Tanto si hubo influjo directo de cualquiera de estas obras como si se trata de temas transmitidos oralmente, de los que lo mismo se incrustan a una historia que a otra, tales episodios acentúan el carácter muy novelesco de este cantar, imitado por el autor del de* Beuve de Hantone, *que quizás tomó del de los* Siete infantes *el tema de la carta que lleva la muerte de su portador.*

La del infante don García se nos cuenta en un poema que debió escribirse no mucho después, ya que casi todos sus personajes están históricamente documentados. Conocido en el XII por la Najerense *y en el XIII por Jiménez de Rada y la crónica de Alfonso el Sabio, tiene aquí variantes, como el castigo de Fernán Láinez por mano de doña Sancha, que prueban que, como las demás gestas, ésta también estuvo sometida a constante reelaboración. La simpatía de su autor por el último conde de la dinastía de Fernán González, a la que hereda el rey de Navarra, que no hizo nada por vengar su muerte, a lo que como pariente estaba obligado, es un débil eco de la hostilidad del pueblo castellano hacia este monarca.*

El relato épico de la acusación de adulterio que los hijos de Sancho el Mayor lanzan contra su madre parece inspirado por el deseo de exaltar al bastardo don Ramiro, que defiende a la reina y que fue más tarde rey de Aragón. Esto nos hace sospechar que se deba a un juglar de la corte de don Ramiro o de sus descendientes. El detalle, omitido por la crónica de Alfonso el Sabio, pero que conocen en el XII la Najerense *y en el XIV la* Crónica de 1344 *de que la reina adopte al hijastro que luchó por ella cubriéndole con sus vestidos ante toda la corte y sacándole luego, como si lo pariera simbólicamente, confirma nuestra sospecha, ya que esto sirve para limpiar la mancha de bastardía que tenía aquel linaje.*

Comparable por su valor estético con el cantar de los Siete infantes de Salas *y con el del* Cid, *fue el del* Cerco de Zamora, *la otra obra maestra de la poesía épica castellana. Mérito principal de su autor es el haber sabido multiplicar los episodios sin que se resienta la unidad del poema. Aunque, desde la muerte de Fernando I hasta la jura en Santa Gadea, son varias las escenas que nos impresionan, el interés de unas nunca disminuye el que despiertan otras. Este difícil equilibrio se logra también entre los personajes, ya que el que el Cid aparezca desde el principio al fin del cantar no oscurece ni disminuye al rey a quien sirve, y el que Sancho II centre el poema no nos impide admirar la entereza de doña Urraca ni la habilidad de don Alfonso para captarse la confianza del rey de Toledo.*

A pesar de que el autor sigue muy de cerca la realidad, nunca vacila en alterar los hechos para dar al poema más dramatismo. Invento suyo fue el que Vellido Adolfo se hiciera vasallo de Sancho II, en verdad sorprendido en su campamento por un zamorano, lo que convirtió en traición la muerte del rey y permitió que luego se añadiera a la gesta el reto de Zamora, desconocido por la Najerense y por cierto hecho con fórmulas jurídicas que serían claras para el que lo escribió originariamente, pero que habían perdido su sentido para el autor de la versión recogida por la crónica de Alfonso el Sabio.

Si la primera versión expresaba el rencor de los castellanos contra doña Urraca, Alfonso VI y los zamoranos, sólo queda un eco de tales sentimientos en esta última, donde se matizan los personajes y las situaciones de modo que aquéllos, en lugar de dividirse en buenos y malos, adquieran mayor complejidad y éstas el dramatismo que nace del choque de las razones de cada parte. Con ello el poema se hacía más grato fuera de Castilla. Ya en la realidad se había podido ver cómo aquella guerra resultaba justa para unos y otros, pues mientras los demás hermanos defendían lo que su padre les dejara, don Sancho, que no había consentido en el testamento, invocaba un principio que lo anulaba por ser anterior.

Como la traición de Vellido es causa del reto, el refundidor la conserva, pero aislando al traidor, que se queda sin cómplices, pues la respuesta de doña Urraca a sus proposiciones es lo bastante ambigua para que no pueda interpretarse como expreso consentimiento. Esto no le basta al juglar que, queriendo exculpar a los de Zamora nos explica cómo Vellido, que ni siquiera es zamorano, sale perseguido por los hijos de Arias Gonzalo, que ignora sus planes, y cómo Zamora advierte lealmente a su sitiador. De este modo se nos prepara para el dudoso resultado del duelo, que sin ofensa de nadie permite a los oyentes conservar su opinión y que, al despertar nuestra simpatía por los campeones de uno y otro bando, los reconcilia artísticamente. El que más tarde en Santa Gadea se le quiebre el color a Alfonso al jurar probaría para unos que juraba en falso, para otros sería muestra de su sentimiento ante la humillación a que se le somete; para nosotros es un indicio de la pericia del refundidor en el manejo de las medias tintas y de cómo sabe detenerse ante lo inescrutable. Pero si las figuras de Urraca y Alfonso resultan complejas y la de Sancho muy matizada, no sucede lo mismo con la de Arias Gonzalo y con la del Cid, ambos modelos de prudencia y lealtad y que por estar en bandos opuestos se neutralizan el uno al otro.

Dejando a un lado el Cantar del Cid, publicado en otro de los tomos de esta colección, y que es posterior a los que hasta ahora hemos estudiado, nos encontramos con el de la Mora Zaida, que debe de ser de la misma época que el del Cid, y que nos cuenta los amores de Alfonso VI con esta princesa, en realidad viuda de un hijo de al-Mu'tamid, rey de Sevilla, que, sitiado por los almorávides, entregó al cristiano lo que en el cantar aparece como dote de ella a cambio de un apoyo que fue ineficaz. Aunque Zaida se hizo cristiana y tomó el nombre de Isabel, no el de María, como dice el juglar, nunca pasó de barragana de Alfonso VI. Las vacilaciones de la crónica del Rey Sabio sobre el lugar en que los dos se vieron por primera vez revelan la existencia en el siglo XIII de varias versiones de este poema. Su segunda parte se aparta aún más de la realidad, ya que ni los almorávides pasaron a España llamados por Alfonso VI, ni vino con ellos otro que el propio Miramamolín, ni el rey de Sevilla murió en batalla, ni el rey cristiano pudo derrotar ni mucho menos someter a tributo a los terribles guerreros africanos, solo vencidos por el Cid Campeador. En todo ello, sin embargo, hay como un recuerdo de la venida de los almorávides a requerimiento del rey de Sevilla, y de cómo, de acuerdo con los alfaquíes, se revolvieron contra él y los demás taifas.

De la segunda mitad del XII debe de ser la Peregrinación del rey Luis de Francia, *quien efectivamente se casó en 1153 con una hija de Alfonso VII, llamada Constanza, y vino al año siguiente en peregrinación a Santiago de Compostela. Su autor, que imita el* Pèlerinage de Charlemagne *y que da una motivación muy novelesca al viaje del rey, ya que es inverosímil que éste no supiera quién era la madre de su mujer, hace que todo redunde al final en mayor gloria del emperador, quien recibe a su yerno en León, según nos cuenta don Lucas de Tuy, o en Burgos, según la versión seguida por don Rodrigo Jiménez de Rada y la crónica de Alfonso el Sabio. El que la amenaza de Ramón Berenguer IV, en realidad tío y no abuelo de la princesa, no esté en la segunda de estas dos versiones, puede deberse a su supresión por el arzobispo, que pudo encontrar tal lenguaje poco verosímil. Curiosa variante es la de la piedra que Alfonso VII regala a su yerno y que éste deposita en el monasterio de S. Dionisio:* esmeralda en don Lucas de Tuy, carbunclo, *es decir,* rubí, en Jiménez de Rada, *que llegó a verla, y en el Rey Sabio, que en todo le sigue.*

Sobre el autor de este poema diremos que, si por un lado el conocimiento *que Ramón Berenguer muestra de París y el que se nos explique la procedencia de una de las gemas de S. Dionisio son argumentos en pro de un francés, por otro lado la exaltación del*

*poder y riqueza de Alfonso VII, ante quien resulta tan disminuido
el rey de Francia, pero, sobre todo, el que no sea el cantar conocido
fuera de aquí apuntan a un juglar español y quizás leonés, que habría estado en París y que, como tantos otros del XII, se hallaría
muy familiarizado con la poesía épica francesa.*

*Ésta había empezado a entrar en España por el camino de San-
tiago a mediados del XI y a influir sobre nuestros juglares, que de
ella toman procedimientos estilísticos y recursos técnicos compatibles
con el espíritu de nuestra epopeya, tan distinta de la francesa por
su realismo, su sobriedad descriptiva e imaginativa y su predilección
por los temas históricos, casi contemporáneos del que los canta.* En
el Mío Cid *las series gemelas, la prolija oración de doña Jimena, el
uso de* tanto *en lugar de «mucho» en enumeraciones, el de* varones
como vocativo, el de vertudes *en plural y expresiones como* llorar
de los ojos *o de* coraçón, compeçar de llorar, *a guisa de varón,*
maravilloso e grant, *y quizás* en buen hora, *calcada sobre «mar»
o «mare», si efectivamente éste se deriva del ablativo «mala hora»
a través de «maora», proceden de la poesía épica francesa; concretamente del* Roland *se han tomado los* azores mudados, *la importancia que se da a la barba del protagonista, el ángel Gabriel, mencionado seis veces en la* Chanson, *el hemistiquio* Cavalgad, Cid
(v. 407), *imitado del* Charle, chevalche (v. 2454), *también allí puesto
en boca de un ángel, el famoso verso* ¡Díos, qué buen vassallo, si
oviesse buen señore! (v. 20), *que reproduce el esquema sintáctico de*
Deus ¡quel baron, s'oüst chrestientet! (v. 3164), *y, como creo haber
demostrado en otro lugar, la concepción del héroe mesurado, en el
que se unen las cualidades de Roldán y Oliveros, nacida de la re-
flexión de nuestro juglar sobre los versos 1093, 1725 y 3691 de la*
Chanson. *Para no hablar de lo que pudiera haber influido en tal
concepción la llamada estética de los números en sus aplicaciones
al orden moral ni sobre el carácter arquetípico y paradigmático
del protagonista de nuestro poema el ejemplarismo del siglo XII,
también llegado de Francia a nuestras escuelas catedralicias y mo-
nacales.*

*Además de influir sobre nuestros juglares, los cantares franceses
son traducidos y refundidos y se difunden por toda España. En
especial el ciclo carolingio adquiere extraordinaria popularidad. Como
estas gestas no solían ser prosificadas por nuestras crónicas hoy des-*

*conocemos los détalles de sus argumento. Tenemos, sin embargo,
cien versos de un* Cantar de Roncesvalles, *versión castellana del*
Roland, *de la que también proceden dos romances, cuatro que no
se explican sin un* Cantar de Sansueña, *que es como se vino a llamar
aquí la* Chanson de Saisnes, *referencias a los cantares del* Infante
Lufer, *que sería el* Lohier, *hijo de Carlomagno, celebrado en la
gesta de Reinaldos de Montalbán, y otros romances que nos dan
indicios de la existencia de poemas españoles sobre Aymerí o Alme-
rique de Narbona, Aïol o Ayuelos, que por equivalencia semántica
recibió luego el nombre de Montesinos, Beuve de Hantone, Floovent
o Floresvento y Aye d'Avignon.*

 *Conforme los héroes se popularizan nace el deseo de conocer su
linaje, su infancia y sus primeros pasos en la vida: todo aquello que,
por ser anterior a las hazañas que les dieron fama, quedó en la
sombra. A tal demanda responde el subgénero de las mocedades, que
ofrece ancho campo a la fantasía, no constreñida por hechos históricos bien conocidos. A él pertenece el* Mainete, *que nos cuenta
el destierro de Carlomagno en Toledo y sus amores con Galiana,
hija del rey moro, que se lleva consigo al volver a Francia. El que
su autor imite el relato del destierro de Alfonso VI en el cantar del*
Cerco de Zamora *y el de sus amores en el de Zaida; el que la versión conocida por Jiménez de Rada y la crónica de Alfonso el Sabio
sea más sencilla que la francesa, enriquecida con episodios de los
que no habría prescindido un refundidor y que tuvieron que añadirse
al poema posteriormente; el que el nombre de la princesa solo se explique por la toponimia de Toledo, donde se llamó «senda Galiana»
al antiguo camino de Guadalajara y «palacios de Galiana» a los edi-
ficados cerca del puente por donde aquél entraba en la ciudad; y,
finalmente, el conocimiento de los alrededores de Toledo que muestra el juglar y que tanto contrasta con la fantástica geografía de las*
chansons *francesas nos lleva a creer que la versión recogida por la
crónica del Rey Sabio es la original y que fue escrita por un español o por un francés que hubiera vivido mucho entre nosotros.
El deseo de exaltar el valor de los franceses es un argumento a favor
de esto último; aun así, habría que suponer que escribió en castellano, ya que no hay noticia de que esta versión se cantara en Francia y, por el contrario, el uso del nombre de Galiana en Toledo
en el siglo XII prueba que el poema era aquí popular. Por ello sin
duda lo prosificó la* Crónica Alfonsí. *Todavía en Toledo nos enseñan,*

*fuera y no dentro de la ciudad, como en la Edad Media, las ruinas
de los palacios de Galiana.*

Lo que fantasearon los juglares franceses sobre las conquistas de
Carlomagno en España no podía por menos de molestar a los españoles, que recordaban la sangre vertida para reconquistar cada palmo de tierra. Ya a principios del XII protesta contra ellos la Historia
Silense, seguida en el XIII por Jiménez de Rada, fray Juan Gil de
Zamora y la crónica de Alfonso el Sabio, que se esfuerzan por demostrar cómo los franceses solo conquistaron la Marca Hispánica.

Como reacción contra tales ficciones surge la leyenda de Bernardo del Carpio, a quien se atribuye un papel decisivo en la batalla
de Roncesvalles y el haber impedido nuestra absorción por Carlomagno. Nada hay en la historia de nuestra épica tan oscuro como el
origen de esta leyenda, cuya elaboración tuvo que pasar, como la
de todas, por varias etapas que se reflejarían en distintas versiones.
La crónica del Rey Sabio conoce dos: la que hace a Bernardo hijo
de una hermana de Alfonso el Casto y la que dice que lo fue de una
hermana de Carlomagno. Según conjetura Menéndez Pidal, a quien,
como hemos dicho, vamos siguiendo, la Bertinalda, fabulosa princesa, casada en Francia con el Rey Casto, a la que, sin embargo, éste
nunca vio, de que nos habla en el XII don Pelayo de Oviedo, pudo
ser al principio madre de Bernardo, ya que su nombre es muy juglaresco y su aparición en esa crónica solo se explica por influjo épico. Esta princesa, que sería hermana de Carlomagno y esposa de
Alfonso, tendría a Bernardo de un deudo de éste, que iría en su
nombre a buscarla a Francia, como Tristán fue a buscar a Iseo. Tal
hipótesis explicaría el que Bernardo fuera sobrino de ambos monarcas, el que Alfonso no quisiera ver a Bertinalda, el que, a pesar de
ello, educara al niño y su odio hacia el padre.

En el siglo XIII don Lucas de Tuy dice que Bernardo fue hijo
de una hermana de Alfonso el Casto, invención destinada a salvar
el decoro regio, pero que no explica el buen acogimiento del héroe
en Francia. Refiere también que cuando Carlomagno quiso hacer
tributario a Alfonso II se unió Bernardo al rey Marsil de Zaragoza
y a los navarros y contribuyó a la victoria de Roncesvalles, pero
que al volver el emperador a España y llegar en peregrinación hasta
Santiago, le acompañó a Francia, donde luchó al servicio de Luis y
Lotario y de donde volvió en tiempos de Alfonso III, a cuyo servicio

*también estuvo, pero contra el cual se sublevó para libertar a su
padre. Después de esto nos cuenta el Tudense que Bernardo, junto
con otro rey de Zaragoza, derrotó en los Pirineos a otro emperador,
que también quiso conquistarnos, que también vino en peregrinación
a S. Salvador de Oviedo y a Santiago y que se llamaba Carlos III
o Carlos Martel. La versión que conoce Jiménez de Rada es distinta,
ya que él nos dice que Alfonso II, no teniendo hijos, quiso hacer su
heredero a Carlomagno, pero que, obligado por los nobles a volverse
atrás, se vio atacado por éste, a quien derrotó en Roncesvalles unido
a Marsil; entonces el emperador se va a Alemania, donde muere,
pensando en regresar a España. En la época de Alfonso III, Bernardo, que le había servido muy bien, se alió a los moros para libertar a su padre, ya ciego y decrépito. También ha oído contar
don Rodrigo que la batalla de Roncesvalles no se dio en tiempos
de Carlomagno, sino del tercer Carlos, pero rechaza tal especie, que
debía de ser propalada por los juglares. A las contradicciones de
estos dos relatos, que sólo se explican por la existencia de varias versiones, se suman las de la crónica de Alfonso el Sabio, que empieza
por recordarnos que, al lado de la que hace de Bernardo hijo de una
hermana del Rey Casto, hubo otra que dice que lo fue de doña Timbor, hermana de Carlomagno, quien le tuvo del conde de Saldaña,
yendo a Santiago; aunque coincide con don Lucas de Tuy y con el
arzobispo don Rodrigo al narrar los esfuerzos de Bernardo por librar
a su padre, se aparta de ellos al contarnos que solo lo logra cuando
éste ya ha muerto, que el rey le destierra y que se va a Francia,
donde es bien recibido por un Carlos que resulta ser el segundo y
no el tercero y de cuya corte sale despechado al no verse reconocido
como hermano por otro hijo de doña Timbor; de allí se viene
guerreando hasta los Pirineos, en cuya vertiente española reconquista
diversos lugares y se casa con la hija de un conde, lo que ha llevado
a identificarle con el Bernardo conde de Ribagorza en el siglo X,
casado con una hija de don Galindo, conde de Jaca. Esta identifi-
cación, que fue propuesta por Milá y Fontanals, explicaría el nombre de Bernardo, tan poco español y el extraño final de esta leyenda,
que pasaría en estado embrionario del Pirineo a la meseta cuando
Sancho el Mayor hizo más estrechas las relaciones entre estas tierras
y que no pudo desarrollarse hasta después de 1031, en que Saldaña
empezó a tener condes. Las contradicciones de los tres relatos del*

*siglo XIII, donde se confunden dos reyes de Asturias y tres de
Francia, hacen muy difícil la reconstrucción del argumento de este
poema. Por eso se ha vertido aquí en prosa moderna el de Alfonso
el Sabio, con todas sus vacilaciones y confusiones, en espera de que
se eche más luz sobre ello. La misma escasa relación que hay entre
el Bernardo héroe de Roncesvalles y el Bernardo que lucha por su
padre parece indicar que fueron en su origen leyendas distintas.
Detalle curioso, en el que coinciden los tres relatos que hemos estudiado, es el de que los franceses fueran derrotados en Roncesvalles al venir a España y no al salir de ella, como en el Roland.
Lo poco que hay en este poema de realidad histórica y geográfica
nos lleva a creer que su elaboración fuera leonesa y no castellana.*

*Aunque don Lucas de Tuy conoce la Gesta del rey don Fer-
nando, par de Emperador, a uno de cuyos episodios alude en su crónica, ni Jiménez de Rada ni Alfonso el Sabio la mencionan; probablemente la crítica del arzobispo, seguido luego por la Alfonsí, no le
permitió prestar atención a lo fantaseado sobre personajes mucho
más recientes que los del poema de Bernardo del Carpio, a unas
de cuyas versiones, como hemos visto, puso sus reparos. El hecho
es que el Cantar de Fernando I o de las Mocedades del Cid, nombre que preferimos, del que por cierto existe una versión del XIV
en informes versos, no fue prosificado hasta este siglo, primero por
la Crónica de Castilla y luego por la de 1344. Unas veces unida a
él y otras separada se cantaba otra gesta sobre la muerte de don
Fernando y la partición de los reinos, pero como esto es un desarrollo
de la escena inicial del Cerco de Zamora, se ha preferido prescindir
aquí de ella.*

*No sólo carecen las Mocedades de realidad histórica, sino de
unidad, pues se diría surgieron del engarce de sus episodios, centra-
dos primero por don Fernando y luego por el Cid, conforme crecía
el deseo de saber lo que éste había hecho antes de las hazañas que
le dieron fama. Así como la leyenda de Bernardo del Carpio, héroe
de Roncesvalles, fue una satisfacción para nuestro orgullo nacional
herido por los juglares franceses, creemos que la entrada de Fernando I y el Cid en Francia y la guerra que emprenden contra
el papa, el emperador y los demás reyes fue la respuesta de nuestros
juglares a la intervención de Alejandro II, que determinó la toma
de Barbastro en 1064 por Guillermo de Montreuil, gonfalonero*

suyo, y que fue acompañada por pretensiones del emperador. Ello lo confirma el que la expresión «par de emperador» se usara en la Edad Media, como ha demostrado Maravall, para indicar que un rey estaba libre de la jurisdicción del Imperio. En versiones tardías se nos dice que don Fernando llega hasta el lugar en que el concilio se está celebrando, donde el Cid derriba el asiento del rey de Francia por estar más alto que el del suyo, y obliga al papa, que le excomulga enojado por ello, a levantarle la excomunión. La misma desmesura muestra el Cid en su trato con don Fernando y con doña Jimena antes de la boda. Esta inclinación, que también se nota en versiones tardías del Bernardo del Carpio, por los caracteres díscolos y rebeldes, es como un reflejo del desequilibrio moral del XIV y un indicio de la decadencia de la epopeya, que se va avulgarando y que desde el Mío Cid no volvió a producir ninguna obra maestra.

La novelesca Gesta *del abad don Juan de Montemayor es mencionada por primera vez por Alfonso Giraldes a mediados del XIV. Su autor conoce los* Siete infantes, *de donde toma el detalle de las dos amas que crían a don García y de los que son armados caballeros junto con él; el* Fernán González, *que imita al hablar del ejército moro, de la huida de los cristianos y de la gallardía y empuje del abad; y el* Mío Cid, *al que sigue en la prolijidad de las plegarias y al que recuerda en la persecución de Almanzor y en una o dos frases. Su relato de la huida de Bernardo Martínez revela también el influjo de nuestros juglares. Si a ello se agrega su desconocimiento de que el monasterio de Alcobaza fue realmente fundado por don Alfonso Enríquez, rey de Portugal, y no por el abad a quien supone tío de uno de León y muy amigo de un caballero también leonés, don Giraldo de Astorga, y el que los únicos hechos históricos que menciona son la toma por Almanzor de Villafranca del Bierzo y de Santiago, se impone la conclusión de que era leonés, ya que, aunque la leyenda entró en Portugal y fue popular en Montemayor, esto sucedió después del XVI. Aunque la más antigua prosificación de este poema es la muy resumida de Rodríguez de Almela en su* Compendio historial, *que es de 1491, la más fiel es la que difunde un cuaderno impreso del que se conservan siete ediciones, desde una de Toledo, que parece ser de 1498, hasta otra de Córdoba de 1613. Muchas también debieron de perderse. Esta versión es la seguida aquí.*

En el siglo XIV se extiende mucho la costumbre de recitar, no un poema completo, sino las escenas más gratas al público que, conociendo todo el argumento, podía muy bien deleitarse con ellas. Tal tendencia venía apoyada por la existencia desde el siglo anterior de relatos muy breves, como el del consejo dado a S. Fernando por el juglar Paja. Estos relatos y aquellas escenas confluyeron en el romancero. En él se distinguen los romances que son fragmentos de una gesta por comenzar ex abrupto, *por cambiar de asonancia cuando lo desgajado es más de una serie, por el dramatismo de los diálogos y por las irregularidades métricas que a veces tienen. Ellos prueban que en el XIV todavía se cantaban el* Fernán González, *los* Siete infantes, *las* Mocedades, *la* Muerte de Fernando I, *el* Cerco de Zamora, *el* Mío Cid, *el* Bernardo del Carpio, *el* Roncesvalles *y otros cantares carolingios. Pero como el público iba olvidando los argumentos de las gestas se hizo necesario refundir los romances, añadiéndoseles al principio y al final versos que recordaran de quién se hablaba y que anticiparan el desenlace. De este modo el recuerdo de las leyendas épicas se conserva, primero entre los humildes que a principios del XV eran los únicos que los cantaban, luego, al ponerse el romancero de moda en la corte de Enrique IV y los Reyes Católicos, entre todas las clases sociales. Tal auge del romancero llevó a escribirlos imitando el estilo de los antiguos. De esta época son los primeros romances del rey Rodrigo, que proceden, no de la gesta, sino de la anovelada* Crónica sarracina, *de que ya hablamos. La brevedad de los romances y el que se cantaran y no salmodiaran como las gestas hicieron que su difusión fuera mucho mayor y que se popularizaran en los medios rurales, adonde aquéllas nunca llegaron. Vemos así en el XVI que todos los españoles saben romances, que la prosa conversacional está salpicada de recuerdos de ellos, que se los imprime en pliegos sueltos y en cancioneros y que se les pone música o se recoge la música que ya tuvieran. En 1541 la publicación de la* Crónica general *que hoy llamamos tercera por Florián de Ocampo da materiales a los escritores que acaban por industrializar el género, elevado de nuevo a dignidad artística por los poetas de la generación de Góngora y Lope.*

No es extraño que desde el momento en que nuestro teatro acusa su carácter popular y no erudito los dramaturgos busquen inspiración en las leyendas épicas, como habían hecho los trágicos griegos. Ya en

*1524 la Cava y Rodrigo pisaron las tablas, aunque como perso-
najes episódicos y no principales, en la* Santa Orosia *de Bartolomé
de Palau. Pero el fundador del subgénero heroico fue Juan de la
Cueva al estrenar, el año de 1579, sus comedias sobre* Bernardo del
Carpio, los infantes de Lara *y el* rey don Sancho, *en la última de
las cuales se intercala el romance en que los de Zamora advierten
al rey, formando sus versos, de dos en dos, la segunda parte de
cuatro redondillas. Poco después salieron a escena en obras anónimas
el* Cid Campeador *y* Mudarra González. *Lope ve pronto lo fácil
que es llegar al pueblo por este camino y escribe muchas comedias
de tema épico:* El último godo, *que a veces se llama* El postrer
godo de España, Los jueces de Castilla, *solo conservada en la refundición de Moreto,* La libertad de Castilla por Fernán González, El
bastardo Mudarra, El testimonio vengado, *sobre los hijos de don
Sancho el Mayor, y* Las mocedades de Bernardo del Carpio, *conti-
nuada por* El casamiento en la muerte. *También hay elementos épicos en* El primer rey de Castilla, *donde presencianos el asesinato de
don García Sánchez,* Las almenas de Toro *y* El hijo por engaño
y toma de Toledo. *De la época de Lope son las dos comedias de
Hurtado de Velarde sobre Fernán González y los siete infantes. Pero
ninguna de estas obras alcanzó la fama de* Las mocedades del Cid
de Guillén de Castro, que forma con su segunda parte, Las hazañas
del Cid o el cerco de Zamora, *un verdadero retablo historial, en el
que hallaba el público escenas y versos que tradicionalmente le eran
familiares. Al imitar Corneille en* Le Cid *la primera de ellas po-
pulariza fuera de España una leyenda épica española en una época
en que las francesas casi por completo estaban olvidadas.*

*Lo mismo que las epopeyas y que los romances las comedias
heroicas fueron refundidas una y otra vez, para adaptarlas a los
cambios de gusto. De ellas desaparecen los romances viejos, susti-
tuidos por romances nuevos. Aunque otras comedias también se
refunden, ningún subgénero fue tan rico en refundiciones como éste.
Baste citar* El conde de Saldaña, Los hechos de Bernardo del Carpio *y* El rayo de Andalucía y genízaro de España *de Cubillo de
Aragón, la última sobre la leyenda de los siete infantes,* Cómo se
vengan los nobles *de Moreto, sobre la de los hijos del rey don Sancho,* El traidor contra su sangre *de Matos Fragoso, nueva versión del
tema tan manoseado de los siete infantes, y* El honrador de su padre
de Diamante, refundición de las Mocedades. *Rojas Zorrilla, en* La

más hidalga hermosura, *se limita a dramatizar solo un episodio de
la leyenda de Fernán González.*

El deseo de nacionalizar la tragedia francesa y atraer a un público que seguía fiel a las tradiciones del XVII llevó a los neoclá-
sicos a cultivar los temas épicos en obras como la Hormesinda de
Moratín, el Sancho García de Cadalso, el Pelayo o Munuza de Jo-
vellanos, La condesa de Castilla de Cienfuegos, el Mudarra González
del Conde de Noroña, el Pelayo de Quintana y el Gonzalo Gustios
y otro Mudarra de Altés y Gurena. De todos los poemas que se es-
cribieron hasta el XVIII sobre tales temas mencionaremos sólo el
Bernardo o victoria de Roncesvalles de Balbuena, tan influido por
el Ariosto.*

El interés sentido desde Herder fuera de España por nuestros
romances contribuyó mucho a la popularidad de estas leyendas, que
inspiraron a Walter Scott The Vision of Don Roderik, a Southey su
Garci Fernández y su Roderick, the Last of the Goths, y a Washing-
ton Irving sus Legends of the Conquest of Spain. Trueba y Cossio,
emigrado en Londres, publica en 1830 una versión de ellas en prosa
inglesa con romances intercalados. En parte movidos por estos ejem-
plos, en parte obedientes a la tradición, vuelven nuestros románticos
a los temas épicos, al principio en obras narrativas, como las in-
glesas que hemos mencionado. Van así apareciendo Florinda y El
moro expósito del Duque de Rivas, cuyo protagonista es Mudarra,
los fragmentos del Pelayo que empezó Espronceda, las leyendas de
Mora y dos de Zorrilla sobre la condesa traidora, tituladas Historia de un español y dos francesas y El montero de Espinosa. Ambas
pasaron a las tablas con los títulos de El eco del torrente y Sancho
García y fueron seguidas por los dramas El puñal del godo, sobre
el rey Rodrigo, cuya continuación es La calentura, y El caballo del
rey don Sancho. Al final de su vida volvió Zorrilla a los temas épicos
con La leyenda del Cid, paráfrasis narrativa de todo lo fantaseado
sobre este héroe. Por estos años de florecimiento del drama román-
tico se escribe el Rodrigo de Gil de Zárate, El conde don Julián de
Miguel Agustín Príncipe y el Alfonso el Casto y La jura en Santa
Gadea de Hartzenbusch. De esta época es la hermosa novela histórica de Herculano Eurico el presbítero, en que nos habla de la caída
del reino godo, y una tragedia de Delavigne sobre las hijas del Cid
Campeador. Más cercanos a nosotros son la también novela histó-

rica de Blasco Ibáñez El conde Garci Fernández, *hoy olvidada, y el drama de Marquina* Las hijas del Cid. *Rubén Darío y Manuel Machado han escrito poesías inspiradas en los temas épicos, de los que también hay huellas en Hugo, en Leconte de Lisle y en el Heredia de* Los trofeos.

Esta rápida excursión por la literatura posterior al XIV nos ha permitido ver cómo el interés por tales leyendas, difundidas por el romancero y proyectadas sobre la escena desde el XVI, ha llegado hasta nuestros días, siendo su persistencia uno de los síntomas de ese tradicionalismo que, según Menéndez Pidal, caracteriza a la literatura española. Ello hace aún más atractivo el estudio de los orígenes de cada leyenda.

El deseo de ofrecer a los lectores un texto que refleje el estado de ellas en la época de florecimiento de la epopeya ha llevado a Rosa Castillo a basar el suyo en la crónica de Alfonso el Sabio, menos en el caso de las Mocedades, *en el que ha seguido la* Crónica de 1344, *y en el de la* Gesta *del abad don Juan, que ha tomado del cuaderno impreso. En dos lugares en que la Alfonsí, en vez de seguir fuente juglaresca, traduce a Jiménez de Rada, y lo traduce mal, no ha vacilado en ceñirse a éste. En el de la* Peregrinación *del rey Luis de Francia ha tomado de don Lucas de Tuy dos pormenores que indudablemente son juglarescos. Siguiendo el lema de esta colección, ha procurado que el odre sea nuevo, lo que quiere decir que ha escrito en prosa moderna, sin arcaísmos de ninguna clase, y que se ha esforzado por dar a ésta nervio y vigor, condensando aquello que en las crónicas resultaba demasiado difuso.*

ENRIQUE MORENO BÁEZ

Universidad de Santiago, 1971.

EL REY RODRIGO

Siendo Teodofredo, hijo que fue del rey Recesvinto [1], que muy niño había quedado huérfano, grande y hermoso y muy bien quisto por sus virtudes de todo el mundo, el rey Égica [2], padre de Vitiza, temiendo que algún día aspirara a ceñir la corona, le desterró a Córdoba. A Teodofredo gustó mucho Córdoba, donde se hizo un palacio muy grande y fuerte, que más tarde embelleció su hijo don Rodrigo, y casó allí con una dama de sangre real, llamada Recilona, de la que tuvo al hijo mencionado.

Cuando Vitiza sucedió a su padre procuró hacer, siguiendo su ejemplo, todo el daño que pudo a Teodofredo, hasta que le redujo a prisión y le sacó los ojos. Lo mismo quiso hacer con don Pelayo, a cuyo padre había matado en Tuy de un bastonazo; pero don Pelayo pudo huir y refugiarse en los montes del norte, donde Dios conservó su vida para que hubiera en España quien luego luchara por la libertad del país. También Vitiza, sin temor de Dios y sin respeto alguno por las leyes de la Iglesia, echó de Toledo al arzobis-

---

[1]   Fue asociado al trono por su padre, el rey Khindasvinto, el 649. Al morir éste en el 653 quedó Recesvinto como único rey. Hizo redactar el *Liber Iudiciorum* o Fuego Juzgo, código común a los hispanorromanos y a los visigodos y que terminó con la separación legal de ambos pueblos y murió en Gérticos en el 672.

[2]   Sobrino de Wamba y yerno de Ervigio, al que sucedió el 687. Por instigación del primero parece ser que apartó de su lado a Cixilona, su propia mujer. Gobernó con dureza el reino de los godos, persiguió a los judíos, asoció al trono a su hijo Vitiza y murió el año 702. Vitiza, que vivió hasta el 710, gobernó en vida de su padre el antiguo reino de los suevos, residiendo en Tuy, donde mató al duque Fávila, padre de don Pelayo, para poder gozar a su mujer, de la que se había enamorado.

po Sinderedo y puso en su lugar a su hermano don Opas, que era arzobispo de Sevilla, con lo que incurrió e hizo incurrir a su propio hermano en excomunión. Añadiendo una maldad a otra, quitó a las iglesias sus privilegios y permitió que volvieran a España los judíos, a quienes protegió y honró más que a los sacerdotes y ministros del culto. Pero como Dios castiga con más dureza a los pecadores que no se quieren enmendar, castigó al rey Vitiza del modo que oiréis.

Quiso Vitiza sacar también los ojos a Rodrigo, hijo de Teodofredo, como había hecho a su padre, pero como el infante era muy amado de los nobles por el buen recuerdo que había dejado el rey Recesvinto, que fue abuelo suyo, se alzó con su ayuda contra Vitiza. Habiendo reunido un fuerte ejército le derrotó, le sacó los ojos y le privó de la corona. Entonces fue don Rodrigo alzado por rey. El malvado de Vitiza, ciego y destronado, fue también desterrado a Córdoba, donde murió, dejando dos hijos, Sisiberto y Eba, ninguno de los cuales llegó a reinar, pues todos los odiaban por las maldades que había hecho su padre.

Viviendo aún Vitiza desterrado en Córdoba comenzó a reinar don Rodrigo, a quien los nobles habían elegido y que sería el último rey de los godos. Éste era un hombre muy esforzado y muy hábil en los negocios, pero de costumbres no mejores que su antecesor. Desde el comienzo de su reinado trató muy mal a los hijos de éste, que al ser desterrados se fueron de España, cruzando el estrecho, en busca de Rícila, conde de Tánger, que había sido amigo de su padre.

Había entonces en Toledo un palacio cerrado desde hacía mucho tiempo con muchos candados, que nadie hasta entonces había osado abrir. Rodrigo mandó abrirlo porque esperaba encontrar en él un gran tesoro, pero cuando lo abrieron no hallaron más que un arca cerrada. Abierta el arca encontraron en ella un paño con unas letras que decían que cuando fueran violentadas las cerraduras y abiertos el palacio y el arca, unas gentes como las que en el paño estaban pintadas entrarían en España y la conquistarían. El rey, al ver esto, sintió haber abierto el palacio y el arca y ordenó que todo se volviera a cerrar como estaba antes. En aquel paño estaban pintadas gentes que por sus caras y sus vestidos parecían árabes, con turbantes en las cabezas y ropas de colores muy variados, montados en caballos y con espadas, ballestas y lanzas. Al rey y a los nobles que le acompañaban asustaron mucho tales figuras.

Era en aquella época costumbre que los hijos e hijas de los grandes señores se educaran en palacio. La más hermosa de las doncellas que había en la corte era la hija del conde don Julián, un caballero de ilustre linaje, muy esforzado y muy estimado por todo el mundo. Fue don Julián pariente de Vitiza, quien siempre le había considerado mucho, jefe de los hombres de armas de la guardia del rey y señor del castillo de Consuegra y de buena parte de la costa.

Sucedió que habiendo ido a África don Julián con una embajada del rey Rodrigo, éste forzó a su hija y yogó con ella. Aunque antes se había hablado de que el rey se casara con esta doncella, no lo había hecho. De esto nació la ruina de España.

Al volver el conde de su embajada y saber la deshonra de su hija por ella misma, aunque mucho se disgustó no lo dio a entender, sino que, como hombre cuerdo y prudente, fingió que no le importaba y que se alegraba. Después de haber dado al rey cuenta de su embajada, cogió a su mujer, dejó la corte sin despedirse, cruzó el estrecho en medio del invierno y se fue a Ceuta, donde habló con los moros. Dejando allí a su mujer con todas sus riquezas volvió a la corte, donde pidió al rey que le dejara llevarse a su hija, ya que la madre estaba muy enferma y se alegraría mucho de verla. Entonces don Julián llevó a su hija a Ceuta, donde estaba la madre. En aquella época don Julián era señor de la Isla Verde, hoy llamada Algeciras, desde donde había hecho a los moros muchísimo daño.

Al tercer año del reinado de don Rodrigo, gobernando Musa el norte de África en nombre del emir de los musulmanes, don Julián habló con él y le prometió que, si seguía sus consejos, le haría dueño de España. Musa se alegró mucho de lo que oyó decir al conde, cuya fortaleza ya había probado en las batallas que sus gentes tuvieron con él y se apresuró a dar cuenta de todo al emir de los musulmanes, que vivía en Damasco. Al-Walid [3], el emir, le contestó que sería

---

[3] El califa al-Walid, al que nuestras crónicas llaman emir, sucedió a su padre Abd al-Malik el 705, ensanchó sus dominios, tanto por Occidente con la conquista de Marruecos y España como por Oriente, donde

preferible que él no se arriesgara a pasar a España, sino que mandase a gentes suyas que comprobaran si era verdad lo que el conde decía. Musa le dio a éste cien caballeros y trescientos peones, al mando de Tarif ben Malluk, los cuales vinieron en el mes que llaman en árabe Ramadán. Ésta fue la primera entrada que hicieron los moros.

Al llegar a este lado del estrecho desembarcaron los moros en el monte que, tomando nombre de Tarif, se llamó en un principio Yabaltarif o monte de Tarif, ya que *yabal* en árabe significa monte, y hoy los cristianos llaman Gibraltar. En él se quedaron los moros y don Julián hasta que llegaron los parientes y amigos que éste había llamado. La primera incursión que hicieron los moros fue hasta Algeciras, que saquearon, llevándose de ella mucho botín, lo que también hicieron en otros lugares de la costa. La pobre España, que desde los tiempos de Leovigildo había estado en paz ciento cincuenta años, comenzó de nuevo a sufrir las mismas calamidades que había sufrido a la caída del imperio romano. Mucho daño y mucha mortandad hizo don Julián por toda la región; después de lo cual se volvió a Musa con los moros que éste le diera, lleno de soberbia.

Habiéndole mandado el emir a Musa que fuera a verle, dejó éste en su lugar a Tariq ben Ziyad, que era tuerto, encargándole mucho que ayudara al conde don Julián y se le mostrara muy amigo. Tariq dio al conde para la segunda expedición hasta doce mil moros, que don Julián pasó en secreto en pequeños grupos en naves de mercaderes, de tal manera que los cristianos no se dieran cuenta. Esto sucedió en el mes que los moros llaman Ráyab. Al enterarse el rey don Rodrigo que tantas gentes habían desembarcado, mandó contra ellos a un sobrino suyo, llamado Íñigo, con lucida hueste, con la que lidió muchas veces con los musulmanes, quienes le vencieron una y otra vez, hasta que le mataron. Con esto los moros se atrevieron a más y don Julián les hizo llegar a tierras de Sevilla. El ejército de los godos comenzó entonces a mostrar su flaqueza, pues en la larga paz de que gozaron habían perdido la costumbre de manejar las armas, por lo que ya no eran capaces de las hazañas que sus

---

sus ejércitos llegaron a la India y al Turquestán. Adaptó al culto musulmán y amplió la que luego fue famosa mezquita de Damasco y murió en el año 715.

antepasados habían realizado. Volviendo las espaldas a sus enemigos y no pudiendo ni queriendo defenderse de ellos, murieron todos. Después de esta victoria se fueron los moros a África, donde ya estaban Musa, Tariq y el conde don Julián, de quien vieron los musulmanes que podían fiarse por lo que había hecho contra los cristianos.

Musa confió entonces al conde y a Tariq un ejército mucho mayor, con el que vinieron a España. No quiso Musa mandar con ellos a Rícila, el conde de Tánger, por ser hombre artero y revoltoso. Tariq y don Julián, llegados a España, comenzaron a saquear la vega del Guadalquivir. El rey don Rodrigo, cuando lo supo, juntó a todos los godos que había en la corte y salió muy esforzado contra el invasor, al que halló a orillas del Guadalete, cerca de Jerez. Los cristianos pusieron sus reales a un lado del río y los moros al otro. El rey don Rodrigo, con su corona de oro en la cabeza y sus ropas recamadas de oro, era llevado por dos mulos en una litera o lecho de marfil, según la costumbre de los reyes godos. Ocho días duró la batalla, de domingo a domingo. Murieron en ella dieciséis mil moros; a pesar de esto, don Julián y los godos que estaban con él lucharon con tanto brío que rompieron las filas de los cristianos. Al final éstos, debilitados por la molicie en que habían vivido, volvieron las espaldas y huyeron. Sucedió esto el día once del mes que los árabes llaman Chawal.

Los dos hijos de Vitiza, que estaban de acuerdo con don Julián, lucharon del lado de don Rodrigo, mandando uno el ala derecha y el otro la izquierda, pero la víspera de la derrota hablaron los dos por la noche con Tariq, con el que se comprometieron a desertar de las filas cristianas. Estaban ellos convencidos de que don Rodrigo, que era hombre valiente, al ver la ruina de su ejército, se haría matar peleando, sin querer huir. Esperaban entonces poder recobrar la corona de su padre, que habían perdido, pues no creían que los moros, aunque quisieran, pudieran quedarse en España. Por eso al comenzar el combate el último domingo huyeron los dos con todas sus gentes, según lo que habían convenido con Tariq a cambio de la promesa de concederles todas las tierras que eran de su padre. Dicen que el ejército de los godos pasaba de los cien mil hombres, pero eran débiles, cansados y enfermos, pues había habido en España dos años de peste y de hambre, y Dios, cuya gracia habían perdido, les quiso también quitar el poder. De modo que los godos, que siempre

habían sido vencedores en Asia y Europa y que habían echado de
España a los vándalos, a los que obligaron a pasar a África, perdieron su fama y fueron derrotados por los musulmanes. Aunque el rey
don Rodrigo luchó muy bien, los brazos de sus gentes, que solían
ser fuertes, resultaron débiles, y los que estaban acostumbrados a
derramar la sangre de sus enemigos vertieron la suya. Don Julián
esforzaba a los godos que iban con él y también a los moros. Habiendo ya muchos muertos de una parte y de otra y estando los
cristianos ya desbaratados, el rey don Rodrigo peleó mucho tiempo,
unas veces retirándose y otras atacando. No se sabe lo que fue del
rey al dejar el campo los últimos cristianos que quedaron vivos; el
hecho es que su corona, sus vestidos y zapatos, recamados de oro
y piedras preciosas, y su caballo, llamado Orelia, fueron encontrados
en un tremedal, a orilla del río. Nunca se supo nada más de él.
Mucho tiempo después fue hallada en Viseo una tumba con esta ins-
cripción: *Aquí yace Rodrigo, último rey de los godos* [4].

---

[4] Sánchez Albornoz conjetura que quizás el cadáver de don Rodrigo
fuera encontrado y llevado al norte por su propia gente.

LEYENDA DE TEODOMIRO

Tomada Granada, se fueron los árabes a la ciudad que entonces tenía el nombre de Orihuela y hoy se llama Murcia. El conde que la gobernaba salió a defenderse, mas con tan mala fortuna que perdió en la batalla a toda su gente. Vuelto solo a Murcia mandó a las mujeres, como cuerdo y prudente, que se cortaran el pelo y que se pusieran en lo alto de la muralla con cañas en las manos, a modo de lanzas, para que, cuando vinieran los moros, creyesen que la ciudad estaba defendida por muchos hombres. Él entonces se fue a los moros como si fuera un emisario de los de Murcia y con buenas razones convenció al jefe de la conveniencia de pactar unas treguas [1]. Después que entraron con él en Murcia unos cuantos moros y vieron los pocos hombres que en ella había, se arrepintieron de haberlas jurado, pero no se atrevieron a romper las treguas. Al irse dejaron a unos cuantos moros por la región y los demás se fueron con Tariq, que estaba en Toledo.

---

[1] Según Valdeavellano, el pacto se firmó con Abd al-Aziz, el hijo de Musa, el 5 de abril del 713.

COVADONGA

A los tres años del reinado de Vitiza, que al principio había sido muy bueno, comenzó a obrar mal y desterró de Toledo al infante Pelayo, que era hijo del duque de Cantabria, Fávila, a quien Vitiza aborrecía lo mismo que a su padre, que había matado de un bastonazo. Otros dicen que le quiso sacar los ojos y que por eso don Pelayo, que era de su guardia, huyó y fue a refugiarse en Cantabria. Cuando supo don Pelayo que don Rodrigo había sido vencido y que los moros tenían ocupado lo más de España, cogió a una hermana que tenía y se fue a Asturias con la esperanza de organizar entre las asperezas de aquellos montes un centro de resistencia al que se pudieran acoger los cristianos que aún combatían en Asturias, Vizcaya, Álava y Guipúzcoa y a lo largo de los Pirineos.

Por aquellos días había en Gijón un gobernador puesto por los moros, llamado Munusa, que, aunque cristiano, había hecho alianza con los musulmanes y estaba al servicio de ellos. Este Munusa se enamoró de la hermana de don Pelayo, que era muy hermosa, y fingiéndole amistad al infante, simuló que tenía que enviar un mensaje a Tariq, que estaba en Córdoba, hecha por los moros capital del reino, y le pidió que lo llevara. Mientras tanto Munusa se puso de acuerdo, por medio de un siervo, con la hermana de don Pelayo y se casó con ella. Al volver don Pelayo de Córdoba y ver lo sucedido, se disgustó mucho, y como era muy valiente y buen cristiano no quiso pasar por aquel casamiento tan poco honroso. Cogiendo a su hermana como si no le importase nada lo sucedido, se fue a las montañas lleno de furor y pensando cómo podría librar a los cristianos de tales afrentas. Munusa sintió mucho verse privado de tan hermosa mujer y, queriendo vengarse, mandó decir a Tariq

que don Pelayo se había sublevado. Tariq se enojó mucho cuando
lo supo y mandó desde Córdoba cien caballeros para que cogieran
a don Pelayo y se lo llevasen encadenado. Los moros, al llegar a
Asturias, quisieron apoderarse de él por sorpresa, pero un amigo
le avisó y le dijo que, pues no tenía gentes ni armas para resistir,
huyera con tiempo. Don Pelayo estaba entonces en una aldea llamada Breta. Montando a caballo pasó a nado el Piloña y se ocultó
en un bosque. Los moros que le perseguían, al llegar al río y verlo
tan crecido, no se atrevieron a cruzarlo.

Después de esto se vino don Pelayo al valle de Cangas, donde
encontró a muchos cristianos que, con miedo de los moros, iban a
sometérseles. Don Pelayo infundió a estos cristianos nuevos bríos
y, haciéndoles concebir esperanzas en la ayuda de Dios, les dijo:

—Amigos: aunque Dios nos castigue por nuestros pecados, no
querrá olvidarnos para siempre ni dejará de compadecerse un día
de nosotros.

Aquellas gentes vieron cuánta razón tenía don Pelayo y cuán
santas eran sus palabras y, perdiendo el miedo, se unieron a él
y se fueron todos al monte Auseva. Entonces don Pelayo mandó
emisarios por toda Asturias incitando a los cristianos a despertar
de su profundo sueño y a salir de la modorra en que habían caído.
De todos los rincones de Asturias venían gentes a él, como si don
Pelayo hubiera sido un enviado de Dios [1].

Después que todos los que combatían por las montañas estuvieron juntos, alzaron por rey a don Pelayo, quien comenzó a hacer
mucho daño a los moros, yendo rápidamente de una parte a otra
y alterando la paz y el sosiego en que vivían. Mucho esforzaba a
todos los suyos, como buen caudillo. Los caballeros que Tariq
había mandado para que le cogieran, cuando vieron esto, se volvieron
a Córdoba y se lo contaron. Tariq, al saberlo, se puso furioso y envió
contra él con mucha gente a un príncipe moro, compañero suyo,
llamado Alqama, y a don Opas, hijo de Vitiza, que fue arzobispo
de Sevilla. Le mandó Tariq con Alqama para convencer a Don
Pelayo de que cesara en su resistencia, pues esperaba que por ser

---

[1]   Según Sánchez Albornoz, la rebelión de don Pelayo, que no llegó
a titularse rey, comenzó en el año 718. En la primavera del 722 obtendría
su victoria contra los moros.

arzobispo y primado le creerían los cristianos y que quizás pudiera
atraerlos y hacer que todos se hicieran moros y se sometieran. Dijo
también Tariq a Alqama que si don Pelayo no quisiese hacer lo
que el arzobispo le aconsejaría le combatiera con todas sus fuerzas,
le cogiera y le llevara a Córdoba encadenado.

Cuando supo don Pelayo que un ejército tan poderoso venía
contra él, se metió en una cueva que estaba en lo alto del monte
donde nace el Auseva, cuyo nombre ha tomado el monte. Esta
cueva está abierta en la roca viva y es de muy difícil acceso, por lo
que no puede ser atacada con ninguna máquina de guerra; es lugar
tan seguro como si Dios la hubiera hecho para refugio de don Pelayo, pero es muy pequeña y apenas caben en ella mil hombres.
Don Pelayo eligió de sus gentes los mil que le parecieron ser los más
fuertes y valerosos y los metió en la cueva consigo; a los demás los
encomendó a Dios, mandándoles que se ocultaran por aquellos montes y que confiaran en su bondad. También don Pelayo y los que
se quedaron con él no cesaban de pedir a Dios que les ayudara.
Al llegar a Asturias Alqama y el arzobispo con sus peones, arqueros
y honderos hicieron muchísimo daño por donde pasaron; por fin
llegaron a la cueva en que estaban don Pelayo y los suyos, pusieron
sus tiendas y la rodearon.

Un día se acercó a la cueva el arzobispo, montado en un mulo,
y comenzó a decir a don Pelayo palabras blandas, pero engañosas,
como si le doliera mucho la estrechez en que estaban los cristianos.
Pensando engañarle, como había hecho con otros, le dijo así:

—¡Ay, Pelayo! Bien sabes tú cuán grande fue el poder que
en España tuvieron los godos, pues aunque lucharon con los romanos y con los bárbaros siempre vencieron; pero ahora, por voluntad
de Dios, han sido vencidos y todo su poder ha sido aniquilado.
Pues tú, ahora, Pelayo, ¿para qué combates? ¿Por qué te has metido
en esa cueva con tan poca gente? Si el rey don Rodrigo con todo su
ejército no pudo resistir a los árabes, ¿piensas tú hacerlo con tan
escasas fuerzas en esa cueva? Acuérdate cómo nunca faltó en el
reino de los godos mucho poder, mucha prudencia para el gobierno y
mucho valor y cómo todo ello se ha terminado y convertido en
polvo. Pues atiende a conservar tu vida y tus bienes y los de la gente
que contigo están y no te empeñes en morir tú y en que mueran
todos. Entrégate a Tariq, magnífico príncipe que jamás ha sido

vencido, y seréis todos muy considerados y viviréis respetados y ricos lo que os quede de vida.

Respondió don Pelayo:

—Veo que, aunque eres arzobispo, no sabes que Dios castiga los pecados de los cristianos, pero que por eso no los desampara ni se olvida de ellos. Tú y tus hermanos despertasteis la cólera del Señor con el pacto que hicisteis con el conde don Julián, siervo de Satanás, y por ello Él ha permitido que la gente de los godos y hasta su misma Iglesia sea destruida. Ahora llora la Iglesia por sus hijos muertos y no podrá consolarse hasta que Él no se apiade de nosotros. Aunque nuestro quebranto dure aún algún tiempo, no querrá Dios que dure siempre y que los cristianos no se levanten. Yo confío en la misericordia de Jesucristo; por eso no temo al gran ejército que traes contigo, pues los cristianos tenemos por abogado ante Dios Padre a Cristo, en el que creemos y confiamos y en el que ponemos nuestra esperanza; también contamos con su Madre, la gloriosísima Virgen María, por cuyos ruegos nos libraremos de los musulmanes. Con ayuda de Ella, que es verdadera madre de misericordia, creo que estos pocos que aquí estamos acabaremos por reconquistar el reino de los godos, del mismo modo que de pocos granos salen muchas mieses.

Después que el rey don Pelayo hubo dicho esto se metió en la cueva con los suyos, que estaban muy asustados de tamaño ejército. Todos pidieron fervorosamente a la Virgen María que los ayudase y que se apiadara de los cristianos.

Cuando vio don Opas que no adelantaba nada con sus prédicas, porque don Pelayo confiaba en Dios, se volvió a los moros y les dijo:

—Este hombre está decidido a luchar hasta el fin. No tenéis más remedio que atacarle. Id hasta la cueva y combatidle, pues solo por la fuerza se rendirá.

Alqama mandó entonces a los honderos, a los ballesteros y a los peones que atacaran la cueva. Ellos comenzaron a lanzar piedras, dardos y flechas, pero Dios, mostrándose misericordioso con los cristianos que en Él confiaban, hizo que las piedras y los dardos y flechas que lanzaban los moros se volvieran contra ellos y los mataran. A causa de este tan nuevo milagro murieron allí más de veinte mil moros. Los demás huyeron espantados. El rey don Pelayo, cuando vio esto, alabó mucho la bondad de Dios; cobrando luego con ayuda de Él nuevas fuerzas, salió con su gente de la cueva y atacó y mató a Alqama y a muchos moros.

Los moros que escaparon subieron hasta lo alto del monte Auseva. Entonces salieron de sus escondrijos aquellos cristianos que don Pelayo había dejado fuera de la cueva y mataron a muchos. El resto se vino huyendo al valle de Liébana, orillas del Deva, y, yendo a lo más alto para escapar por un monte, el monte cayó con ellos al fondo del río. Todos ellos murieron ahogados o aplastados por aquellas rocas. Este otro milagro hizo el Señor para librar a los cristianos de España del duro yugo de los musulmanes, como cuando ahogó a Faraón, rey de Egipto, y a todos los suyos, en el Mar Rojo para sacar del cautiverio a los israelitas. Dicen que cuando el Deva crece mucho en la época de las lluvias y sale de madre aparecen aún hoy restos de los huesos y de las armas de los sarracenos.

ABDICACIÓN DE DON ALFONSO EL MAGNO

Eʟ año 879 el rey don Alfonso el Magno [1] salió de Oviedo y se vino a Zamora, donde prendió a su hijo don García, que encerró en el castillo de Gozón. Hizo esto porque le habían dicho que quería quitarle la corona. Los hermanos de don García, cuando vieron que su padre le trataba así, se disgustaron mucho y resolvieron, por consejo de la reina doña Jimena, que antes se había llamado doña Amelina, destronar al padre. La reina no amaba al rey su marido y por eso trataba de meter cizaña entre él y los hijos para que don Alfonso perdiera el trono y subiera a él don García. Esta reina, que fue muy mala, introdujo en el reino muy feas costumbres. Entonces la reina construyó los castillos de Alba, Gordón, Argüello y Luna, que entregó a su hijo don García para que desde ellos hiciese la guerra al rey don Alfonso. Además de sus hermanos estaba también al lado del infante Nuño Fernández, que era suegro suyo. Todos habían jurado no abandonar la empresa hasta que don Alfonso no le dejara el reino al infante.

Cuando el rey don Alfonso se vio sitiado en una villa de Asturias, llamada Baides, cedió la corona a don García en presencia de sus otros hijos y de los grandes del reino y, más por la fuerza que por voluntad propia, bajó del trono. Hecho esto se fue a Santiago en peregrinación. A la vuelta pidió a su hijo el rey don García tropas

---

[1] El rey don Alfonso III, llamado el Magno, sucedió a su padre, Ordoño I, el 866, tuvo que luchar contra el conde de Galicia Fruela Vermúdez, que pretendió usurparle la corona, logró muchas victorias contra los moros, que le permitieron extender su reino hasta el Duero, y fue desposeído por sus hijos el año 910.

para ir una o dos veces a atacar a los moros. Entonces don Alfonso entró por tierra de moros quemando y talando y matando a muchos de ellos. Con numerosos cautivos y rico botín regresó a Zamora. Si don Alfonso fue bueno al principio de su reinado, mejor aún fue en sus últimos tiempos. Estando en Zamora enfermó y murió. Primero le llevaron a enterrar a Astorga; después le enterraron en Oviedo, en la iglesia de Santa María, donde yace al lado de su mujer, la reina doña Jimena.

LA MUERTE DE LOS CONDES DE CASTILLA

Como los condes castellanos no habían querido acudir, como buenos vasallos, al llamamiento del rey Ordoño [1], cuando éste salió a combatir contra el califa en Valdejunquera, don Ordoño volvió a llamarlos al año siguiente, diciendo que tenía mucho que hablar con ellos. Los condes resolvieron no ir a León, pero convinieron con el rey en encontrarse a orillas del Carrión, en un lugar llamado Reglar. Allí fueron los condes Nuño Fernández, Almondar Albo y su hijo don Diego, y don Fernando, hijo de don Ansur. Cuando llegaron, el rey don Ordoño, que no había confiado su propósito más que a sus más íntimos consejeros, los prendió, los llevó encadenados a León y los metió en la cárcel, donde pasaron algunos días en mucha estrechez. Al cabo de ellos los mandó matar.

---

[1] Se trata de Ordoño II, rey de Galicia desde la forzada abdicación de su padre, Alfonso III, el 910, y rey de León desde la muerte de su hermano don García, cuatro años después. Estableció definitivamente la capital del reino en León logró una gran victoria contra los moros en San Esteban de Gormaz (917), fue derrotado por Abd al-Rahman III en Valdejunquera (920) y murió el 924. Sánchez Albornoz se inclina a creer que la prisión de los condes castellanos fue al año siguiente de Valdejunquera y después de una nueva expedición de Ordoño II contra los moros.

LOS JUECES DE CASTILLA

Poco después de subir al trono don Fruela II [1] se alzaron contra
él los nobles de Bardulia, que hoy llamamos Castilla, porque no
le querían tener por rey, ya que habían visto cómo su hermano el
rey Ordoño había hecho matar alevosamente a sus condes, habiéndo-
los llamado para hablar con ellos, y porque sufrían muchas afrentas
y sinrazones cuando iban a León a dirimir sus pleitos. Tampoco
recibían protección suficiente del rey de León contra los atropellos
de sus vecinos. Por lo cual se pusieron de acuerdo los hombres buenos para elegir a dos jueces que gobernasen Castilla, sentenciando
en primera y última instancia todos los pleitos y obligándose todos
a conformarse con sus decisiones. Quisieron escoger a dos hombres
sabios y prudentes, pero que no fueran de los más poderosos, para
que no cayeran en la tentación de tratarlos como si en vez de jueces fueran reyes.

De los dos que eligieron, uno tenía por nombre Nuño Rasura,
hijo de Nuño Vellido, y era natural de Catalueña; el otro se llamaba
Laín Calvo y era de Burgos. Éste no quería ser juez, pero en vista
de la insistencia de los hombres buenos aceptó el cargo. Cuando
lo tuvo prefirió la guerra y los ejercicios caballerescos a sentarse a
oir las partes y dictar sentencia, pues se impacientaba pronto, lo
que no conviene al que ha de juzgar. Laín Calvo, de quien des-
cendieron muchos caballeros castellanos, tuvo dos hijos, el primero
fue Fernán Laín y el segundo Bermudo Laín. Fernán Laín tuvo un

---

[1]   Fruela II fue el tercer hijo del desposeído Alfonso III. Sucedió
en el trono de León a su hermano don Ordoño II el 924 y murió de
lepra al año siguiente.

hijo que se llamó Laín Fernández, el cual a su vez tuvo a Nuño Laín, que casó con una señora llamada doña Elo, de la que tuvo a Laín Núñez, padre que fue de Diego Laín. Diego Laín casó con una hija de Rodrigo Álvarez de Asturias, que era muy noble y poderoso, y tuvo de ella a Rodrigo Díaz, que fue llamado el Cid Campeador. Bermudo Laín, el segundo hijo de Laín Calvo, fue padre de Ruy Bermúdez, que lo fue de Fernán Rodríguez, quien lo fue a su vez de Pedro Fernández.

El otro juez, de los dos que eligieron los castellanos, fue hombre de mucho asiento, sabio y prudente. Mientras fue juez pocas veces tuvo que sentenciar, pues se esforzaba siempre por lograr en los pleitos una avenencia, por lo que fue muy amado de todos. También solía tener en su casa a los hijos de los caballeros y de hombres buenos de Castilla, educándolos bien, por lo que los padres de aquellos niños le estaban muy agradecidos. Este Nuño Rasura tuvo un hijo, llamado Gonzalo Núñez. Mientras Gonzalo Núñez fue pequeño le querían tanto los demás donceles que su padre criaba que le acompañaban como a señor y nunca se apartaban de él. Nuño Rasura, que en todas las cosas mostró su prudencia y habilidad, gobernó Castilla hasta el Pisuerga, que la separaba entonces de León.

Cuando Gonzalo Núñez se hizo hombre era muy esforzado y buen caballero y muy amigo de mantener toda la tierra en paz y justicia. Por lo que al morir su padre y reunirse a deliberar los hombres buenos, le eligieron para sucederle por el voto de los mancebos que con él se criaron, que eran ya también hombres. Hicieron entonces a Gonzalo señor de Castilla, dándole título de conde, y le casaron con doña Jimena, hija de Nuño Fernández, de quien tuvo un hijo que recibió el nombre de Fernán González [2] y que fue también conde como su padre.

---

[2] Fernán González parece que fue hijo, efectivamente, de un Gonzalo Fernández, conde de Burgos, a comienzos del x, mientras Muño Núñez lo era de Castilla y Gonzalo Téllez de Lantarón y de Cerezo. Estos condes se repartían el territorio que posteriormente fue unificado por Fernán González.

LOS SIETE INFANTES DE SALAS

Reinando en León don Ramiro III [1], un caballero principal del alfoz [2] de Lara, llamado Ruy Velázquez, casó con doña Lambra, que era una dama de ilustre linaje, natural de la Bureba y prima hermana del conde Garci Fernández [3].

Ruy Velázquez era señor de Vilvestre. Tenía una hermana cuyo nombre era doña Sancha, que era muy virtuosa y que estaba casada con Gonzalo Gustios el Bueno, señor de Salas. Tuvo este matrimonio siete hijos que fueron llamados los siete infantes de Salas. Crió a los siete un buen caballero, que los había adiestrado muy bien en todos los ejercicios caballerescos, de modo que pudieron los siete ser armados caballeros el mismo día por el conde Garci Fernández.

Cuando Ruy Velázquez celebró sus bodas con doña Lambra en la ciudad de Burgos convidó a todos sus amigos de Galicia, de León, de Portugal, de la frontera contra los moros, de Gascuña, de Ara-

---

[1] Sucedió a su padre, don Sancho el Craso, bajo la tutela de su tía, la monja doña Elvira, el 966. En 984 fue desposeído por su primo Vermudo III, hijo, quizás bastardo, de Ordoño III, elegido rey dos años antes por los condes gallegos, con quienes Ramiro se había enemistado.

[2] Alfoz es lo mismo que distrito o comarca. Como Salas de los Infantes, de donde Gonzalo Gustios era señor, se encontraba en el alfoz o distrito de Lara, población que era de Ruy Velázquez, los siete infantes, así llamados por ser hijos de familia noble, fueron posteriormente conocidos como infantes de Lara y no de Salas, que es como en realidad se denominarían.

[3] El conde de Castilla Garci Fernández sucedió a su padre Fernán González el 970. Vencido en varias ocasiones por los musulmanes y hecho prisionero el 19 de mayo del 995, sobrevivió muy pocos días a esta última derrota.

gón y de Navarra; también convidó a todos sus amigos de la Bureba y de las demás comarcas de Castilla. Vino a estas bodas Gonzalo Gustios con su mujer doña Sancha, sus siete hijos y don Nuño Salido, que era el caballero que los había criado. Vinieron también otras muchas gentes.

Duraron las fiestas cinco semanas. Hubo en ellas tablados [4], bohordos [5], corridas de toros, juegos de ajedrez y muchos juglares. El conde Garci Fernández y todos los grandes señores que allí se habían reunido repartieron muchos regalos y mucho dinero.

Una semana antes de acabar los festejos mandó Ruy Velázquez poner un tablado muy alto en el arenal, al lado del río, e hizo pregonar que daría un rico premio al que lo derribase. Acudieron los caballeros que más se preciaban de saberlo hacer, pero por más que se esforzaron ninguno de ellos consiguió dar en lo alto del tablado ni que su lanza llegara a él. Cuando esto vio un primo hermano de doña Lambra, llamado Alvar Sánchez, montó en su caballo y se fue al tablado; al llegar a él dio en las tablas tal golpe que se oyó en la ciudad. Doña Lambra se alegró mucho cuando supo que había sido su primo quien lo había dado y, llena de orgullo, dijo delante de doña Sancha y de sus siete hijos:

—Ya veis, amigos, cuán esforzado es don Alvar Sánchez: de los muchos caballeros que intentaron dar en lo alto del tablado él ha sido el único que lo ha conseguido. Más fuerte es él que todos los demás.

Doña Sancha y sus hijos lo tomaron a risa; pero éstos estaban tan entretenidos con una partida que habían comenzado que no prestaron mucha atención a las palabras de doña Lambra, excepto Gonzalvico, que era el menor de los siete infantes, y que, sin que sus hermanos se apercibieran, montó a caballo, cogió un bohordo y se fue sin otra compañía que la de un escudero que le llevaba un azor. En cuanto llegó al tablado le dio tal golpe que rompió una de las tablas. Doña Sancha y sus otros hijos, cuando lo oyeron se alegraron mucho; no así doña Lambra, a quien le pesó. Los demás infantes montaron entonces a caballo y se fueron donde estaba su hermano, porque

---

[4] Armazón o castillete muy elevado, contra el cual los caballeros lanzaban bohordos hasta desbaratarlo y echarlo al suelo.

[5] Lanza corta arrojadiza, que se usaba en los juegos caballerescos.

temían que algún despechado promoviera un alboroto, como sucedió, ya que Alvar Sánchez empezó a decir tales cosas que Gonzalo González le respondió del siguiente modo:

—Tan bien manejáis vos la lanza y tanto gustáis a las damas que me parece que no hablan tanto de ningún otro caballero como de vos.

A lo cual contestó Alvar Sánchez:

—Si hablan de mí es con razón y porque comprenden que valgo más que los demás.

Al oír esto Gonzalo González se enfadó tanto que no se pudo contener y se lanzó sobre él con tal violencia que de la puñada que le dio le rompió los dientes y la mandíbula y le hizo caer muerto a los pies del caballo. Doña Lambra, cuando lo supo, empezó a llorar y a lamentarse, diciendo que ninguna mujer había sido tan ultrajada en sus bodas como ella lo era. Ruy Velázquez, al enterarse de esto, cogió una lanza, cabalgó a toda prisa y se dirigió adonde ellos estaban. Cuando llegó levantó la lanza y dio con ella un golpe tan fuerte en la cabeza de Gonzalo González que le hizo echar sangre por cinco sitios. Al verse Gonzalo tan mal herido dijo a Ruy Velázquez:

—Por Dios, tío, yo no merezco que me tratéis así; ruego a mis hermanos que si por ventura muriera de este golpe no quieran vengarse, y a vos os ruego que no me deis otro, porque no sé si entonces me podré contener.

Ruy Velázquez furioso alzó la lanza para darle otro golpe; Gonzalo desvió la cabeza, pero le alcanzó en el hombro con tanta fuerza que se rompió la lanza en dos pedazos. Viendo el infante que no tenía más remedio que defenderse, cogió el azor que tenía su escudero y le dio con él a su tío en la cara, hiriéndole y haciéndole echar sangre por las narices. Ruy Velázquez gritó:

—¡A las armas! ¡A las armas!

En un momento se juntaron con él todos sus caballeros. Los infantes, por su parte, al ver que aquello iba a acabar mal, si Dios no lo remediaba, se apartaron a un lado con toda su gente. Serían en total doscientos caballeros. Cuando el conde Garci Fernández y Gonzalo Gustios, padre de los infantes, se enteraron de esto, fueron donde estaban y los separaron; de este modo la cosa no solo no pasó adelante, sino que el conde y Gonzalo Gustios lograron también que se reconciliaran e hicieran amigos. Gonzalo Gustios dijo a su cuñado:

—Ruy Velázquez, vos necesitáis caballeros para hacer la guerra. Moros y cristianos os envidian y temen. A mí me gustaría, si os parece bien, que mis hijos os sirvieran y acompañaran para que vos, a cambio de ello, los favorezcáis. Son vuestros sobrinos y no han de hacer más que lo que vos queráis.

Ruy Velázquez dijo que le placía mucho.

Después de estar todos apaciguados, acabadas las bodas, el conde Garci Fernández salió de Burgos para andar por Castilla y se llevó consigo a Ruy Velázquez y a Gonzalo Gustios. Doña Lambra y su cuñada doña Sancha, los siete infantes y Nuño Salido, que se habían quedado en Burgos, salieron para Barbadillo. Los infantes, por congraciarse con su tía, se fueron a cazar con sus azores por las riberas del Arlanza. Después de haber cazado muchas aves se las ofrecieron a doña Lambra. Luego se entraron por una huerta, que estaba junto a las habitaciones de doña Lambra, para descansar mientras se preparaba la comida. Gonzalo González se puso entonces en ropas menores, cogió su azor y se fue a bañar. Al verle de este modo, doña Lambra se enfadó y dijo a sus doncellas:

—Amigas, ¿no veis cómo anda don Gonzalo? Yo creo que se ha puesto así para que nos enamoremos de él. Os aseguro que me he de vengar de semejante agravio.

Hizo entonces venir a un criado suyo y le dijo:

—Vete a la huerta, toma un cohombro [6], llénalo de sangre y échaselo en el pecho a Gonzalo González, que es el que tiene un azor en la mano. Luego vente a mí y no tengas miedo, que yo te defenderé. De este modo vengaré la muerte de mi primo Alvar Sánchez.

El criado hizo lo que doña Lambra le había mandado.

Al ver los infantes acercarse a aquel hombre creyeron que su tía les mandaba algo de comer porque la comida se retrasaba. Pensaban los infantes que su tía les quería, en lo que estaban muy equivocados. Cuando llegó aquel hombre alzó el cohombro y se lo tiró a Gonzalo González, como su señora le dijo que hiciera. Al verle

---

[6] Especie de pepino largo y torcido.

lleno de sangre, huyó. Sus hermanos se rieron entonces sin saber qué hacer. Gonzalo les dijo:

—Hermanos, hacéis mal en reíros. Del mismo modo que me ha hecho esto me podía haber matado. También os digo que si a alguno de vosotros le pasara esto, no tardaría yo mucho en vengarle. Plega a Dios que os tengáis que arrepentir de haberos reído de lo que me han hecho.

Entonces dijo Diego González:

—Es necesario que resolvamos lo que hemos de hacer para no quedar así burlados con tanta mengua de nuestra honra. Yo creo que deberíamos irnos hacia ese hombre con las espadas bajo los mantos; si vemos que nos espera y que no nos teme, será señal de que ha sido una broma y le dejaremos; si huye hacia doña Lambra y ésta le protege será que lo ha hecho mandado por ella. En este caso debe morir, aunque ella lo defienda.

Cuando hubo dicho esto Diego González cogieron todos sus espadas y se fueron hacia la casa. Al verlos venir corrió el criado a ampararse bajo el manto de su señora. Los infantes le dijeron:

—Tía, no os empeñéis en defender a ese hombre.

—¿Por qué no —contestó doña Lambra—, si es mi vasallo? Si hizo algo malo le castigaré; pero no le hagáis nada mientras esté bajo mi protección.

Los infantes se dirigieron a ella, sacaron al criado de debajo del manto y le mataron allí delante. Su sangre manchó las tocas y el vestido de doña Lambra.

Hecho esto, montaron los infantes a caballo, diciendo a doña Sancha que también lo hiciera, y se fueron a Salas, a su casa y tierras. Cuando ya se habían ido mandó doña Lambra poner un catafalco en medio del patio, con paños negros como para un muerto, y lloró sobre él con sus doncellas durante tres días, rasgándose las vestiduras y lamentándose de no tener un marido que la vengara.

Ahora dejaremos a doña Lambra y hablaremos de Ruy Velázquez y Gonzalo Gustios.

Cuando el conde Garci Fernández se volvió a Burgos, después de haber recorrido Castilla, Ruy Velázquez y Gonzalo Gustios se despidieron de él para irse al alfoz de Lara, donde los dos tenían a sus mujeres. Por el camino se enteraron de todo lo que había pasado. Se disgustaron tanto que no sabían qué partido tomar.

Al llegar a Barbadillo se separó don Gonzalo de Ruy Velázquez y se fue a Salas con su mujer y con sus siete hijos.

Cuando doña Lambra vio a su marido, salió a su encuentro arañándose el rostro, se echó a sus pies y le pidió por Dios que vengara la ofensa que había recibido de sus sobrinos. Díjole entonces su marido:

—Callad, doña Lambra, y no os aflijáis, que yo os prometo vengaros de modo que todo el mundo tenga que hablar de ello.

Entonces Ruy Velázquez mandó decir a Gonzalo Gustios que viniera a verle al día siguiente, porque tenía que hablar con él. Vino don Gonzalo con sus siete hijos, se encontraron entre Barbadillo y Salas y hablaron allí de la ofensa que doña Lambra había recibido. Hicieron las paces y los infantes pidieron a su tío que dijera quién tenía razón, mostrándose dispuestos a hacer lo que a él le pareciera más conveniente. Ruy Velázquez comenzó entonces a halagar a sus sobrinos con palabras falsas para que no recelaran de él.

A los pocos días envió de nuevo a decir Ruy Velázquez a don Gonzalo que viniera a verle, porque tenían que hablar de otras cosas. Al día siguiente, cuando se vieron, dijo Ruy Velázquez a Gonzalo Gustios:

—Cuñado, ya sabéis cuánto dinero gasté en mis bodas. El conde Garci Fernández no me ayudó tanto como yo esperaba. Vos sabéis que también Almanzor [7] me prometió mandarme dinero. Si os parece bien, os agradecería que fuerais a Córdoba con cartas mías para Almanzor, le saludarais en mi nombre y le explicarais el mucho gasto que he tenido y lo necesitado que estoy de su ayuda. Yo sé que a él le agradará mucho conoceros y que os dará bastante dinero, que cuando volváis nos repartiremos entre los dos.

---

[7] Abu Amir Muhammad ben Abí Amir, llamado al-Mansur o Almanzor, que quiere decir el victorioso, gobernó la España musulmana como primer ministro del califa Hisham II desde el 978 hasta su muerte, en el 1008. Obtuvo muchas victorias sobre los cristianos. En diferentes campañas tomó y destruyó las ciudades de Barcelona (985), Coimbra (987), León y Zamora (988) y Santiago de Compostela (997). La dependencia de los reinos cristianos con respecto a los moros y la intervención de éstos en los asuntos interiores de aquéllos llegó en esta época al grado máximo.

Don Gonzalo dijo que iría con mucho gusto. Ruy Velázquez, muy contento con esto, se volvió a su casa, donde se encerró con un moro letrado, al que mandó escribir en árabe una carta, que decía de este modo:

A vos, Almanzor, Ruy Velázquez os desea salud, como a amigo a quien mucho quiere. Os hago saber que los hijos de don Gonzalo Gustios, señor de Salas, que lleva esta carta, nos han ultrajado a mi mujer y a mí. Como no me puedo vengar de ellos como yo quisiera en tierra de cristianos, os envío a su padre para que me hagáis el favor de mandarle matar. Hecho esto, sacaré yo mis huestes, llevando conmigo a los siete hijos de don Gonzalo, y acamparé en Almenar. Sacad vos también vuestro ejército y venid cuanto antes a ese mismo sitio. Traeréis con vos a Viara y a Galve, que son los dos muy amigos míos. A los siete infantes, mis sobrinos, los degollaréis: éstos son, entre los cristianos, los que peor os quieren. Muertos ellos, tendréis en vuestro poder toda Castilla, porque mis sobrinos son hoy el principal apoyo que tiene el conde Garci Fernández.

Escrita y sellada la carta, mandó Ruy Velázquez matar al moro para que no le descubriese. Después de lo cual montó a caballo y se fue para Salas. Al entrar en casa de su hermana doña Sancha, le dijo con hipocresía:

—Hermana mía, muy rico vendrá, Dios mediante, tu marido de Córdoba, adonde le envío. Espero que traiga tanto dinero que seamos ricos lo que todavía nos quede de vida.

Luego le dijo a don Gonzalo Gustios:

—Cuñado, puesto que habéis de partir, despedíos de doña Sancha y vayámonos juntos. Ya que Vilvestre os coge de camino dormiremos allí.

Despidióse don Gonzalo de su mujer, de sus hijos y de Nuño Salido, montó a caballo y se fue con Ruy Velázquez hacia Vilvestre. Hablaron aquella noche mucho los dos. Entonces le dio Ruy Velázquez la carta para Almanzor que había escrito el moro. Al día siguiente, muy de mañana, montó a caballo don Gonzalo, se despidió de Ruy Velázquez y de doña Lambra y siguió su camino.

Al llegar a Córdoba le fue a entregar la carta a Almanzor, diciéndole:

—Almanzor, vuestro amigo Ruy Velázquez os saluda y os ruega que le respondáis a lo que os dice en esta carta suya.

El moro abrió la carta y la leyó. Cuando vio la traición de Ruy Velázquez la rompió y le dijo:

—Gonzalo Gustios, ¿qué carta es ésta que me traéis?

—No sé, señor —respondió don Gonzalo.

—Pues yo os lo diré —continuó Almanzor—. Ruy Velázquez me pide que os mate, pero yo, que os quiero bien, no lo pienso hacer, sino que me limitaré a poneros en prisión.

Así lo hizo el moro y encargó a una mora de ilustre linaje que le sirviese.

A los pocos días de estar en prisión, sirviéndole aquella mora, engendraron un hijo que había de llamarse Mudarra González y que vengaría a su padre y hermanos. Dejemos ahora esto y volvamos a hablar de Ruy Velázquez, quien después que hubo enviado a Gonzalo Gustios a Córdoba, habló con los siete infantes y les dijo:

—Sobrinos, voy a deciros lo que pienso hacer. Mientras vuestro padre vuelve de Córdoba haré una entrada por tierra de moros y llegaré hasta el campo de Almenar. Si queréis venir conmigo me alegraré mucho; si no queréis, quedaos aquí y guardadme la tierra.

—Tío —contestaron ellos—, no estaría bien que vos salierais a combatir y que nosotros, vuestros sobrinos, nos quedáramos como si fuésemos unos cobardes.

—Mucho me agrada lo que decís—, contestó Ruy Velázquez.

Mandó entonces pregonar Ruy Velázquez por toda Castilla que los que quisieran ir en su hueste en busca de botín se prepararan y se fuesen sin perder tiempo a juntarse con él. Las gentes, cuando lo supieron, se alegraron mucho, porque Ruy Velázquez había sido siempre muy afortunado en todas sus empresas. Por eso fueron muchos los que quisieron irse con él. Entonces mandó decir a sus sobrinos con un escudero que se pusieran en camino y que él les esperaba en la vega del Hebros. Al oír esto los infantes se despidieron de su madre y se fueron muy de prisa detrás de su tío.

Charlando los siete con don Nuño Salido, llegaron a un pinar que había en el camino, a la entrada del cual oyeron unos pájaros chillar de un modo que era evidentemente mal agüero. Nuño Salido, que era muy entendido en materia de agüeros, se ensombreció al oír aquellos pájaros, se volvió a los infantes y les habló así:

—Hijos, os ruego que os volváis a Salas con vuestra madre, ya que no podéis seguir adelante con tales agüeros. Una vez que hayáis descansado en vuestra casa, comido y bebido, quizás los agüeros mejorarán.

Gonzalo González, el menor de los siete, le contestó:

—Don Nuño Salido, no digáis eso, pues bien sabéis que aquí no vamos por nuestra cuenta, sino que es nuestro tío cabeza de la hueste y que los agüeros, buenos o malos, se refieren a él, que es el que manda a todos los demás. Vos que sois viejo, volveos a Salas, que nosotros queremos seguir adelante.

Don Nuño Salido le contestó:

—Hijos, en verdad os digo que no me gusta que continuéis, porque los agüeros nos dan a entender que nunca volveremos a nuestras casas. Si queréis neutralizar tan malos agüeros, enviad a decir a vuestra madre que ponga siete catafalcos en medio del patio, los cubra con paños y os llore por muertos.

—Don Nuño —replicó Gonzalo—, hacéis muy mal en decir tales cosas y os buscáis la muerte. Os aseguro que, si no fuerais mi ayo, como sois, os mataría ahora mismo. Os prohíbo que en adelante habléis de este modo, ya que de ninguna manera vamos a volvernos.

Nuño Salido respondió con tristeza:

—En mala hora os eduqué, puesto que no queréis hacerme ningún caso. Ya que es así, y yo me vuelvo, nos despediremos, porque sé muy bien que no nos volveremos a ver más.

Los infantes, tomando a broma lo que les decía, se despidieron de él y siguieron. Don Nuño Salido se volvió a Salas y yendo por el camino pensó que hacía mal en abandonar a aquellos mancebos, que con tanto esmero había educado, por miedo a la muerte, y que no estaba bien que él, que era viejo y estaba por tanto más cerca de ella, la temiera más que los jóvenes. Si ellos tenían en poco a la muerte, en mucho menos la debía él de tener. Fuera de esto, si los infantes morían en la guerra y Ruy Velázquez volvía sano y salvo, le perseguiría y aun le mataría. Todo el mundo entonces le criticaría por haberse vuelto y la gente creería que era él quien los había llevado a la muerte y que por su consejo se había hecho aquello; no sería poca desgracia el haber sido estimado de todos en la mocedad y en la vejez verse deshonrado. Por lo cual se volvió de nuevo con los infantes, quienes después de haberse separado de su ayo anduvieron tanto que aquel mismo día llegaron al Hebros. Al verlos su tío los salió a recibir, les dijo que ya hacía tres días que los esperaba y les preguntó por qué no venía don Nuño Salido. Ellos le contaron lo sucedido y cómo se había vuelto amedrentado por los agüeros. Cuando Ruy Velázquez lo oyó, les dijo:

—Hijos, estos agüeros son muy favorables, porque dan a entender que ganaremos mucho botín y que no perderemos nada de lo nuestro. Muy mal ha hecho don Nuño Salido en no querer venir con vosotros. Quiera Dios que se arrepienta y que cuando quiera volverse no pueda.

Cuando estaban hablando llegó don Nuño. Los infantes, al verle, se alegraron mucho y le recibieron con mucho afecto, pero Ruy Velázquez le dijo:

—Don Nuño, siempre me habéis llevado la contra en todo. Mucho sentiría no vengarme de vos.

—Ruy Velázquez —replicó Nuño Salido—, a quien quiera que afirme que los agüeros que tuvimos eran favorables le diré que miente y que prepara alguna traición.

Nuño Salido hablaba de este modo porque sabía lo que Ruy Velázquez había dicho antes. Oyéndolo éste, se tuvo por afrentado y empezó a decir a grandes voces:

—¡Ah, vasallos! En mala hora os recibí bajo mi protección, puesto que oís ultrajarme a don Nuño Salido y no me vengáis. Se diría que ello os tiene sin cuidado.

Un caballero llamado Gonzalo Sánchez sacó entonces su espada y se dirigió a don Nuño Salido, pero Gonzalvico le salió al encuentro y de un puñetazo le hizo caer muerto a los pies de Ruy Velázquez. Éste, furioso, mandó a los suyos que se armaran, porque quería vengarse de sus sobrinos. Los infantes y don Nuño Salido, comprendiendo que su tío quería matarlos, se apartaron de él con doscientos caballeros que traían consigo y se pusieron en línea de batalla frente a las huestes que mandaba su tío. Al ir a atacarse unos a los otros dijo Gonzalo González a Ruy Velázquez:

—¿Qué es esto, tío? ¿Nos sacáis de nuestra casa para ir contra los moros y ahora queréis que nos matemos de esta manera? Si estáis quejoso porque hemos matado a ese caballero os pagaremos los quinientos sueldos que establece el fuero [8] para que esto se termine aquí.

Como vio Ruy Velázquez que aún no era el momento de tomar la venganza que había proyectado y que si los infantes se volvían a su casa no podría vengarse, le dijo a Gonzalvico que tenía razón. Con esto se avinieron, levantaron las tiendas y siguieron su camino hacia la frontera.

Al día siguiente madrugaron mucho, y tanto anduvieron que por la tarde llegaron al campo de Almenar. Cuando Ruy Velázquez con todos los suyos se hubo ocultado en un bosque que allí había, mandó a sus sobrinos que fuesen a recorrer el campo para coger el botín que pudieran y volverse luego donde él estaba. Ya él había mandado decir a los moros que sacaran a pacer sus ganados y que saliesen ellos al campo para atraer a los infantes y lograr que avanzaran por tierras de moros.

Los infantes iban a hacer lo que su tío les había mandado, pero Nuño Salido les dijo:

—Hijos, no os esforcéis por coger botín, que no os será de ningún provecho; si esperáis un poco lo cogeréis mucho mayor y con menos peligro.

En esto vieron venir más de diez mil moros a caballo. Gonzalo González dijo a su tío:

—¿Quiénes son los que vienen?

—Hijos —les respondió—, no tengáis ningún miedo; yo sé lo que es. Yo he recorrido esta zona tres veces, cogiendo mucho botín y sin encontrar ningún moro que me lo impidiera, a pesar de que muchos venían, como éstos vienen, para asustarme. Bien podéis ir sin miedo; si fuera necesario, yo saldría a ayudaros.

Entonces Ruy Velázquez se apartó de ellos y se fue a hablar con los moros. Nuño Salido le siguió para oír lo que les decía. Al llegar a los moros, dijo Ruy Velázquez a Viara y a Galve, que los mandaban:

---

[8] El Fuero Viejo de Castilla establecía, siguiendo al Fuero Juzgo, que el que mataba a un hidalgo podía avenirse con sus familiares, si éstos querían, mediante el pago de una caloña de quinientos sueldos. De ello procede la frase hecha, que se lee mucho en las ejecutorias: «hidalgo de solar conocido y de devengar quinientos sueldos».

—Amigos, ahora es el momento de que me venguéis de mis sobrinos, que no han traído más de ·doscientos caballeros consigo. Rodeadlos y matadlos. No podrán escapar, porque yo no pienso ayudarlos.

Al oír estas palabras, dijo don Nuño Salido:

—¡Traidor! ¡Cómo has engañado a tus sobrinos! Mientras el mundo exista las gentes se acordarán de esta traición que has hecho.

Fuese entonces corriendo a decir a los infantes:

—¡Armaos, hijos míos, que vuestro tío está de acuerdo con los moros para que os maten!

Todos se armaron y montaron a caballo sin perder tiempo. Los moros, que eran muchos más, formaron quince líneas y de este modo se dirigieron a los infantes. Nuño Salido les decía para animarlos:

—No temáis, hijos, que los agüeros que yo dije que eran contrarios, no lo eran, sino que nos daban a entender que venceríamos y cogeríamos mucho botín. Yo quiero pelear en la primera línea. Desde este momento os encomiendo a Dios.

Puso don Nuño espuelas a su caballo y atacó a los moros con tanto brío que derribó y mató a muchos de ellos, pero éstos le hicieron tantas heridas que le mataron. Fue tan violento el choque y se atacaron los unos a los otros tan ferozmente que al poco rato ya estaba el campo lleno de muertos. Tan bien pelearon los cristianos que, venciendo la resistencia que oponían los moros, rompieron las dos primeras líneas y llegaron a la tercera. Murieron allí más de mil moros; de los cristianos no quedaron más que los siete infantes. Cuando éstos vieron que no había más que vencer o morir, encomendándose a Dios y al Apóstol Santiago, arremetieron contra los moros con tanto ímpetu que mataron a muchos e infundieron temor a todos los demás, pero eran tantos los moros que no había manera de acabar con ellos. Dijo entonces Fernán González a sus hermanos:

—Tenemos que pelear con todas nuestras fuerzas, porque no tenemos aquí más ayuda que la de Dios. Ya que hemos perdido a Nuño Salido y a los demás compañeros nuestros hemos de vengarlos o morir matando. Cuando nos cansemos de pelear subamos a esa colina que tenemos delante y descansemos allí en lo alto.

Con esto volvieron a pelear con renovado brío. Aunque mataban a muchos moros, éstos mataron a Fernán González, que era el mayor de los siete infantes. Cuando éstos se cansaron de pelear subieron al otero. Limpias las caras de polvo y sudor, buscaron a su hermano Fernán González; al no verle se dieron cuenta de que había muerto.

Hallándose los infantes del todo perdidos resolvieron pedir treguas a Viara y a Galve y socorro a su tío, por si acaso éste lo quería dar. Concedidas las treguas, fue Diego González a Ruy Velázquez y le dijo:

—Tío, hacednos el favor de socorrernos, porque los moros, que ya mataron a Fernán González, a Nuño Salido y a los doscientos caballeros que venían con nosotros, nos aprietan mucho.

Ruy Velázquez le contestó:

—¿Cómo queréis que me olvide de la afrenta de Burgos, cuando matasteis a Alvar Sánchez, y de la que luego hicisteis a mi mujer al matar al criado que se amparaba bajo su manto y manchar de sangre sus mismas ropas? ¿Y el caballero que matasteis a orillas del Hebros? Valientes sois; defendeos y ayudaos los unos a los otros, porque yo no os pienso ayudar.

Diego González se fue a contar a sus hermanos lo que había dicho. Estando los infantes en esta aflicción, tocó Dios el corazón de unos cuantos cristianos de los que estaban con Ruy Velázquez y unos mil se separaron de él para ir a socorrerlos. Cuando ya marchaban se enteró Ruy Velázquez y se fue detrás de ellos diciéndoles:

—Amigos, dejad a mis sobrinos que peleen solos, para que veamos todo lo que valen; ya les socorreré yo cuando sea necesario.

Volviéronse los caballeros, bien a su pesar, porque veían que allí había traición. Vueltos a sus tiendas, los que se preciaban más de valientes se juntaron de tres en tres y de cuatro en cuatro y, sin que Ruy Velázquez se apercibiera, juraron que quedaría por traidor el que no fuera a ayudar a los infantes y que, si Ruy Velázquez los quería hacer volver, como había hecho antes, le matarían. Acordado esto por unos trescientos, se fueron a uña de caballo hacia los infantes. Cuando éstos los vieron, temieron que fuera su tío que venía contra ellos. Los caballeros, al acercarse, les decían a voces:

—Infantes, no temáis, que venimos en vuestra ayuda y hemos resuelto vivir o morir con vosotros, porque ya vemos que vuestro tío os ha traicionado.

Cuando llegaron a ellos añadieron:

—A cambio os pedimos que si salimos con vida nos defendáis de él.

Los infantes les hicieron tales juramentos que ellos quedaron muy satisfechos, y se fueron todos a atacar a los moros, entablándose una batalla tan reñida como no se había visto otra. Muy grande fue la mortandad que hicieron a los moros: antes de que muriese ninguno de los cristianos ya habían caído más de dos mil moros; pero éstos se rehicieron y, como eran muchos, mataron a los trescientos caballeros que habían venido a ayudar a los infantes, los cuales estaban ya tan cansados que no podían levantar los brazos para manejar las espadas. Viara y Galve, al verlos tan cansados y de nuevo solos, se apiadaron de ellos y los invitaron a ir a su tienda. Allí los hicieron desarmar y les dieron pan y vino. Cuando lo supo Ruy Velázquez se fue a Viara y a Galve y les dijo que hacían muy mal en dejar con vida a hombres como aquéllos y que él haría que les costara muy caro esto. Les dijo también que si los infantes escapaban con vida él no volvería a Castilla, sino que se iría a Córdoba para denunciarlos ante Almanzor y que les diera muerte. Al oír esto los moros se asustaron mucho. Gonzalo González dijo a su tío:

—¡Ah traidor! Nos sacaste para combatir a los enemigos de la fe, ¿y ahora les dices a ellos que nos maten? Que Dios nunca te perdone esta felonía.

Viara y Galve dijeron entonces a los infantes:

—No sabemos qué hacer, porque si vuestro tío se va a Córdoba, como dice, se tornará moro y, como es amigo de Almanzor, nos podrá hacer mucho daño. Ya que no hay otro remedio, os sacaremos otra vez al campo y volveremos a combatir.

Los moros, puestos los infantes de nuevo en el campo y habiendo tocado sus atabales, vinieron sobre ellos tan apretados como las gotas de la lluvia, y empezó un combate tanto o más reñido que el anterior. Dicen que en poco rato los infantes mataron mil sesenta moros. Los seis infantes que aún quedaban, que eran muy valientes, lucharon muy bien y con mucho arrojo. Gonzalo González, que era el más pequeño, era el más esforzado de los siete hermanos. Los

moros eran tantos que ya los infantes estaban cansados de herir y
matar y no podían moverse ellos ni regir el caballo. Aunque estaban
dispuestos a seguir peleando, no tenían espadas ni ninguna otra arma,
porque las que llevaban se habían quebrado. Los moros, al verlos
sin armas, les mataron los caballos y, ya en el suelo, cayeron sobre
ellos, los apresaron y los degollaron uno por uno, en el mismo orden
en que habían nacido, en presencia de su tío, el traidor Ruy Velázquez. Gonzalo González, cuando vio cortar las cabezas de sus hermanos, ciego de ira se lanzó sobre el moro que los degollaba y
de un puñetazo dio con él en tierra, le quitó la espada y mató con
ella más de veinte moros de los que estaban a su alrededor. Entonces
los moros le rodearon y le degollaron. Muertos los siete infantes,
como hemos contado, Ruy Velázquez se despidió de los moros y
se volvió a Castilla. Los moros cogieron las cabezas de los infantes
y de Nuño Salido y se fueron con ellas a Córdoba.

Viara y Galve, al llegar a Córdoba, llevaron las ocho cabezas
a Almanzor, quien, mostrando pesar por aquellas muertes, hechas a
traición, mandó que las limpiaran con vino y que extendieran una
sábana blanca en medio de la sala para poner encima las cabezas,
en el mismo orden en que habían nacido, y al lado de ellas la de
Nuño Salido. Hecho esto entró en la cárcel donde estaba preso
Gonzalo Gustios, padre de los infantes, y le preguntó cómo se encontraba.

—Señor —le contestó el preso—, estoy muy bien, pues que venís
a verme, lo que es señal de que me haréis merced y me mandaréis
sacar pronto de aquí. Costumbre es de los grandes señores visitar
al preso cuando le van a dar libertad.

Almanzor respondió:

—Eso precisamente es lo que voy a hacer y por eso he venido a
verte, pero antes te diré una cosa: yo envié mis tropas a Castilla,
donde han luchado con los cristianos en el campo de Almenar. De
allí me han traído como trofeo ocho cabezas de caballeros: siete
son de muchachos, la otra es de un viejo. Quiero sacarte para que
las veas y me digas de quiénes son; me han dicho que son gentes
procedentes del alfoz de Lara.

—Si yo las viera —respondió don Gonzalo—, os diría quiénes
son, pues no hay caballero ilustre en Castilla a quien yo no conozca.

Mandó entonces Almanzor que le libertasen. Hecho esto le llevó adonde tenía puestas las cabezas. Cuando Gonzalo Gustios las reconoció cayó en el suelo como muerto. Al volver en sí se puso a llorar, diciendo a Almanzor:

—Conozco muy bien estas cabezas: siete son de mis hijos, los infantes de Salas; la otra es de su ayo, don Nuño Salido.

Dicho esto lloraba con tanto sentimiento que los presentes no podían contener las lágrimas, y cogía las cabezas una por una, recordando las buenas cualidades de cada uno de sus hijos. Después de esto, ciego de ira, cogió una espada que encontró a mano y mató con ella a siete moros de los que estaban con Almanzor. Los otros moros le sujetaron y le impidieron que continuara; él entonces le pidió a Almanzor que le matase, pero éste, compadecido, mandó que nadie le hiciese daño.

Estando Gonzalo Gustios con aquella congoja llegó la mora que la había servido en la prisión y le dijo:

—Ánimo, don Gonzalo, no lloréis más, que yo también tuve doce hijos, muy buenos caballeros, y también los mataron a todos juntos en la misma batalla. No por ello me desesperé. Si yo, que soy mujer, no me dejé vencer por el dolor, cuánto más lo debe hacer un hombre. No por mucho llorar resucitaréis a vuestros hijos.

Almanzor dijo entonces:

—Gonzalo Gustios, he sentido mucho tu desgracia; por eso he resuelto no solo ponerte en libertad, sino darte lo que necesites para tu partida. Coge las cabezas de tus hijos y vete a tu tierra, donde tu mujer, doña Sancha, te espera.

—Dios os pague el bien que me hacéis y vuestras palabras de consuelo —respondió don Gonzalo—. Quiera Él que llegue alguna vez el día en que os lo pueda corresponder.

La mora entonces le apartó y le dijo:

—Don Gonzalo, yo espero muy pronto un hijo vuestro. ¿Qué queréis que haga con él cuando nazca?

—Si fuese varón —contestó el caballero—, ponedle dos amas que le críen bien, y, cuando llegue a edad en que pueda discernir lo bueno de lo malo, decidle que es hijo mío y enviádmelo a Salas.

Tomó entonces un anillo de oro que tenía, lo partió en dos, le dio a ella la mitad y le dijo:

—Guardad en mi recuerdo esta media sortija. Cuando el niño sea mayor y me lo enviéis, se la daréis para que me la lleve y yo por ella le conoceré.

Después de haber concertado esto con la mora y de haber recibido de Almanzor lo necesario para su partida, se despidió de él y de los demás moros y se fue a Castilla.

A los pocos días la mora dio a luz un niño. Almanzor, al saber que era hijo de Gonzalo Gustios, se alegró y le mandó criar con dos amas, como su padre había mandado. Pusiéronle por nombre Mudarra González.

El año 968 cumplió Mudarra los diez años. Almanzor le quería mucho porque le veía, aunque tan niño, de muy buen juicio y de buenas costumbres. El mismo día que le armó caballero armó también a otros doscientos, que eran parientes de Mudarra González por parte de madre, para que le tuviesen por señor.

Cuando Mudarra llegó a la mayoría de edad era tan valiente y buen caballero que no había, fuera de Almanzor, otro mejor que él entre los moros. Cuando supo por Almanzor y por su propia madre la muerte de sus siete hermanos y cómo su padre había sido preso, les dijo un día a los doscientos caballeros que eran sus vasallos:

—Amigos, ya sabéis lo que pasó mi padre sin culpa alguna y cómo mis hermanos, los siete infantes, fueron muertos a traición. Ahora que tengo edad para ello he pensado ir a tierra de cristianos y vengarlos a todos. Decid qué os parece.

Ellos contestaron:

—Nuestro deber es acompañarte, servirte y obedecerte en todo lo que mandes.

Entonces se fue Mudarra a decirle a su madre que quería irse en busca de su padre para saber si vivía o había muerto y le pidió la señal que él le había dado para poderle reconocer. Su madre le dio la media sortija. Mudarra fue entonces a pedirle a Almanzor permiso para irse. Almanzor no solo se lo dio, sino que le dijo que se alegraba mucho de que fuera a hacer aquella buena acción. Le dio además más gente, armas y dinero. También le dio a algunos caballeros cristianos que tenía cautivos y a muchos otros cristianos que no eran nobles. Mudarra entonces se despidió de Almanzor y de los demás moros y emprendió su camino.

Al llegar a Salas se dirigieron a casa de Gonzalo Gustios. Éste, al verlos, les preguntó quiénes eran. Mudarra, apartándose con él le dijo que era de Córdoba y que su madre le había contado que era hijo suyo y que le había dado, en prueba de ello, media sortija que traía consigo, la cual le enseñó. Don Gonzalo Gustios al reconocerla abrazó a Mudarra con mucha alegría.

Después de haberse quedado Mudarra González con su padre unos cuantos días, le dijo:

—Don Gonzalo, yo he venido aquí para vengar la muerte de los siete infantes, mis hermanos; es menester que no lo demoremos.

Se fueron entonces los dos con trescientos caballeros en busca del conde Garci Fernández. Al entrar donde estaba encontraron allí a Ruy Velázquez, a quien Mudarra desafió, junto con todos los de su casa. Ruy Velázquez le contestó que no tenía en nada sus amenazas y que no debía mentir delante del conde. Mudarra, al oírlo, echó mano a la espada y se fue hacia él, pero el conde no lo permitió y les impuso tres días de tregua, que fue lo más que obtuvo de Mudarra. Luego se despidieron todos del conde y se fueron a sus tierras, menos Ruy Velázquez, que esperó a que fuera de noche por no atreverse a salir de día. Mudarra lo supo y se fue a ocultar en el camino por donde Ruy Velázquez tenía que pasar. Al llegar éste salió Mudarra y se fue hacia él, gritando:

—¡Aquí morirás, alevoso traidor!

Diciendo esto le dio con la espada un golpe tan fuerte que le llegó hasta la cintura y le dejó muerto. Se dice que también mató allí Mudarra a treinta caballeros de los que iban con Ruy Velázquez.

Después de muerto Garci Fernández cogió Mudarra a doña Lambra, que era su parienta, y la hizo quemar.

LA CONDESA TRAIDORA

Muerto el conde Fernán González reinó en Castilla su hijo Garci Fernández. Éste fue un conde muy justiciero y batallador. En muchas ocasiones venció a los moros, aunque también en otras fue vencido. Era el conde muy apuesto y gallardo y, sobre todo, tenía unas manos tan hermosas que se avergonzaba de descubrirlas; cuando estaba en presencia de la mujer de algún vasallo suyo conservaba siempre los guantes puestos.

El conde Garci Fernández casó dos veces. La primera con una dama francesa, llamada doña Argentina. Sus padres la llevaron en peregrinación a Santiago de Compostela, y el conde, al verla, se enamoró de ella. Enterado de que era de ilustre linaje, la pidió a sus padres y se casaron. En seis años de matrimonio no tuvieron hijos.

Estando el conde, su marido, enfermo, vino a ver a doña Argentina un conde de su tierra, que iba también en peregrinación a Santiago. Este conde era viudo y tenía una hija muy hermosa, llamada doña Sancha. Doña Argentina se fue con él, y cuando su marido, el conde Garci Fernández se enteró, ya estaban los dos fuera de Castilla.

Recobrada la salud, hizo el conde como si se fuera en peregrinación a Nuestra Señora de Rocamador [1]. Marchó a pie, con un es-

---

[1] La ciudad francesa de Rocamadour, en la Guyena, tiene un santuario, muy visitado por los españoles en la Edad Media, donde se venera una virgen negra que, según la tradición, fue hecha por Zaqueo, que, después de su conversión, predicó a los codurcos y fue venerado con el nombre de Amadour. El que su tumba se halle cavada en la roca pudiera explicar el nombre de la población.

cudero, como dos pobres peregrinos, hasta que llegaron donde vivía el conde que le había robado su mujer. Allí se enteró de que tenía una hija, que era muy hermosa, que estaba muy a mal con su padre, porque su madrastra no la quería bien, y que por tanto no veía la hora de salir del castillo en que los tres vivían.

Un día doña Sancha, la hija del conde, le dijo a una de sus criadas:

—Amiga mía, yo no puedo soportar más esta vida. Te ruego que vayas a ver a los pobres que comen a la puerta de este castillo, que los observes y que si hay alguno de noble aspecto me lo traigas, para hablar con él.

La criada no dejó de hacer lo que su señora le había mandado. Un día vio entre los demás pobres al conde Garci Fernández, que, aunque mal vestido, demostraba ser un caballero. Entre otras cosas se fijó en sus manos, que eran sin disputa las más hermosas que ella había visto, y se dijo a sí misma:

—Si este hombre es noble no me cabe duda de que mi señora querrá hablar con él.

Entonces le llamó aparte y, pidiéndole por Dios que no la engañara, le preguntó si era noble o no. A esto el conde respondió:

—Amiga, ¿por qué me lo preguntáis? Muy poco puede importaros a vos mi nobleza.

'Ella le dijo:

—Me interesa más de lo que vos os imagináis.

—Cuando yo sepa —replicó el conde— por qué me lo preguntáis o me parezca que debo decíroslo, os demostraré que soy mucho más noble que el señor de esta tierra.

La criada, al oír esto, se sorprendió mucho y le dijo al conde:

—Amigo, quedaos aquí y esperadme en este mismo sitio, que yo vendré en seguida por vos.

Fue entonces a su señora y le contó todo lo que había pasado con aquel hombre. Su ama le mandó que le trajese a sus habitaciones. El conde, al verla, se arrodilló, como si fuera un pobre peregrino. Doña Sancha le dijo:

—Amigo, decidme quién sois y de dónde venís.

—Señora —le respondió el conde—, yo estoy en vuestro poder y me podéis matar o conservar la vida. Si queréis que os diga quién soy, prometedme guardar el secreto de lo que yo os diga.

Ella le juró que lo guardaría. Él entonces le dijo:

—Yo soy el conde Garci Fernández, señor de Castilla. Vuestro padre me traicionó y quitó la mujer, que es ésta que él tiene aquí, como si fuera suya. Entonces salí de mi tierra, jurando no volver hasta haberme vengado; por eso he venido, así como me veis, para que nadie me conozca y poder hacerlo.

Doña Sancha, al oír esto, se alegró mucho, porque vio que Dios le abría un camino para salir del poder de su padre, y le dijo:

—Conde, ¿qué le daríais a quien os ayudara a hacer lo que queréis?

—Señora —le contestó el conde—, si vos esto hicierais, me casaría con vos, os llevaría conmigo y os haría condesa de Castilla.

Ella le prometió que le ayudaría y le metió en sus habitaciones, donde pasaron juntos la noche después de haberse recibido por marido y mujer.

A la tercera noche doña Sancha metió al conde Garci Fernández, que llevaba puesta una loriga [2] y empuñaba un cuchillo, bajo la cama en que dormían su padre y su madrastra, y le encargó que no se moviese hasta que ella tirara de una cuerda que le ató al pie. Aquella noche doña Sancha ayudó a su padre a meterse en la cama y se empeñó en dormir, en prueba de cariño, en la misma habitación en que dormían él y su madrastra. Cuando vio que los dos estaban dormidos tiró de la cuerda. Garci Fernández salió de debajo de la cama y los degolló. Cogiendo las cabezas de los dos traidores se volvió a Castilla, acompañado de doña Sancha. Al darse cuenta los servidores, al día siguiente, de la muerte de su señor, ya los dos estaban muy lejos y nadie pudo sospechar de ellos.

El conde Garci Fernández, al llegar a Castilla, mandó que todas sus gentes se reunieran en Burgos, donde les contó lo que él había hecho. Al final les dijo:

—Ahora que he tomado venganza ya puedo ser vuestro señor. Antes no podía por estar deshonrado.

Mandó entonces que todos rindieran homenaje a doña Sancha y que la recibiesen por señora. Los castellanos así lo hicieron, ale-

---

[2]   La loriga era una armadura hecha de láminas de metal, que se sobreponían las unas a las otras.

grándose mucho de la vuelta del conde y de que tan bien se hubiera vengado.

Doña Sancha le dio al conde un hijo, que fue más tarde el conde don Sancho [3]. Fue esta condesa al principio muy buena: era en extremo caritativa y cumplía con todos sus deberes. Pero aunque tardó mucho en descubrir lo que tenía en el fondo de su alma, por miedo al marido, el hecho es que pronto comenzó a quererle mal y a desearle la muerte, que acabó por darle.

Cuando Garci Fernández salió de Castilla para vengarse de su mujer, como habéis oído, dejó encargados del gobierno a dos parientes suyos, en quienes él mucho confiaba, llamado el uno Gil Pérez de Barbadillo y el otro Fernán Pérez. Ambos eran hombres muy rectos y de buen juicio.

*

En el año 990 de la Encarnación del Señor, Sancho García, que era el hijo del conde Garci Fernández, se alzó contra él. Enterados los moros de estas desavenencias, atacaron Castilla y destruyeron Ávila, que acababa de ser repoblada. Siguiendo hacia el norte, tomaron Clunia y San Esteban, donde mataron a muchos cristianos y quemaron las mieses. Garci Fernández no lo pudo sufrir y, aunque la gente de armas estaba dividida entre su hijo y él, prefirió morir defendiendo el condado a dejarlo arrasar. Fue por tanto al encuentro de los moros con los pocos caballeros que tenía consigo, pero aquéllos eran tantos que los cristianos fueron derrotados. Fue el desastre tan grande que los moros cogieron en Piedrasalada a Garci Fernández. Ya se lo llevaban cuando a causa de las muchas heridas que había recibido murió a los pocos días en Medinaceli. Los cristianos lograron rescatar el cadáver y llevarlo a enterrar a San Pedro de Cardeña.

---

[3] Sancho García se rebeló contra su padre, muerto al año siguiente en poder de los moros, como ya hemos dicho, el 994 y no el 990, como afirma la *Crónica*. Reinó hasta el año 1017. Aunque al principio de su reinado tuvo que hacerse vasallo de Almanzor, consiguió después de la muerte de éste grandes victorias contra los moros, que culminaron con su entrada en Córdoba el año 1009, donde hizo proclamar califa a Sulayman ben al-Hakam, protegido suyo.

Habéis de saber que los moros cogieron al conde porque su caballo, al que mucho estimaba, y cuyo cuidado había confiado a su mujer, aunque gordo y lucido, estaba muy débil, porque la condesa, deseosa de deshacerse de su marido, le daba salvado en vez de cebada. Por esto cayó fácilmente en medio de los moros y el conde fue herido y preso, como os hemos contado.

Muerto el conde Garci Fernández fue su hijo don Sancho conde de Castilla. La condesa doña Sancha, madre del conde, queriendo casarse con un rey moro, resolvió matar a su hijo para poder quedarse con el condado y llevárselo en dote. Una noche en que preparaba con este objeto una infusión de hierbas venenosas, la vio una de sus doncellas, que, comprendiendo lo que era, se lo fue a contar a un montero del conde, con quien tenía amores. El montero se lo dijo entonces a su señor. Cuando al volver de la caza le ofreció su madre una copa de vino, el conde le rogó que bebiera primero. Ella contestó que no tenía ganas. El conde insistió, pero su madre continuó negándose. Al ver Sancho García que, a pesar de sus ruegos, ella se negaba, la obligó a beber a la fuerza la copa y aun dicen algunos que sacó la espada para degollarla si no bebía. Al fin la condesa se bebió el vino y cayó al suelo muerta.

Arrepentido el conde don Sancho de haber matado de este modo a su madre, mandó edificar un gran monasterio, que llamó de Oña en honor de ella, porque en Castilla solían decir *Mioña* [4] por señora, y como la condesa había sido señora de aquella tierra quiso el conde, su hijo, que le quitaran a *Mioña* el *mi* y que el resto de la palabra le diera nombre a aquel monasterio, que aún se llama así. También confió la custodia de su persona al montero que le había salvado la vida, que era natural de Espinosa, y del cual descienden los monteros de Espinosa, que hoy velan el sueño del rey de España.

---

[4] La forma *mioña* procede evidentemente de *midoña,* con pérdida de la sonora intervocálica. Compárese *midoña* con el it. *madonna* y el fr. *madame.* El prov. *midons* es en su origen forma masculina, aunque significara luego «mi señora».

EL INFANTE DON GARCÍA

Eʟ año 1007 de la Encarnación murió don Sancho, conde de Castilla, dejando por heredero a su hijo don García [1]. Como este infante estaba por casar, se reunieron los castellanos para decidir con quién debería hacerlo. Reinaba en León Bermudo III [2], que tenía una hermana de mucha hermosura y de mucha virtud, llamada doña Sancha. Los castellanos resolvieron pedírsela al rey para el nuevo conde, y pedirle, además, que al casarse él entrara en posesión de los derechos de ella. Idos a León los mensajeros y expuestas al rey estas pretensiones, el rey vino en ello. Entonces don García, deseoso de ver a su prometida, invitó a don Sancho, rey de Navarra y cuñado suyo, a ir con él a León.

El rey don Sancho con sus caballeros y el infante don García con los suyos fueron a León, no solo para que el infante viera a doña Sancha, sino para hablar de las bodas con el rey don Bermudo y pedirle que le permitiera a don García tomar el título de rey de Castilla.

---

[1] Don García Sánchez sucedió a su padre el 1017 y no el 1007, y fue asesinado el 1029.

[2] Sucedió a su padre don Alfonso V el 1028. Estaba casado con una hermana del conde don García, que es la doña Teresa de que aquí se habla. Despojado de la parte leonesa de su reino por el rey de Navarra don Sancho el Mayor en 1034, volvió a León al año siguiente con la muerte de éste. Murió en la batalla de Támara (1037), peleando contra el rey de Castilla don Fernando I (1035-1065), que era hijo de don Sancho el Mayor y se había casado con doña Sancha, la prometida de don García.

Cuentan los juglares que don García salió de Muñó y se dirigió a Monzón de Campos, que entonces era del conde Fernán Gutiérrez, que estaba enfermo. Los caballeros de éste, cuando vieron que el infante llegaba y rodeaba el castillo, se armaron y salieron a pelear con él. No hubo, sin embargo, muchos muertos en esta refriega, porque el conde Fernán Gutiérrez, al enterarse de lo que pasaba, dejó la cama y, montando a caballo, salió al campo, donde amonestó a los suyos, besó las manos del infante y le entregó el castillo y todos los demás que él tenía en su poder.

Después de tomar posesión el infante de estos lugares, siguió su camino y llegó a Sahagún, donde plantó sus tiendas y pasó la noche. Al día siguiente, muy de mañana, salieron para León. Al llegar junto a León, el infante se aposentó en Barrio de Trobajo. El rey don Sancho se quedó en el campo.

Los hijos del conde don Vela, a quien el padre del infante había desterrado, cuando supieron que don García se encontraba en León, pensaron que éste era el momento de vengar la afrenta que su padre había recibido de la familia reinante en Castilla. Con este propósito salen de las Somozas, donde vivían, y llegan a León.

El infante don García dijo al rey de Navarra que, sin esperar al rey don Bermudo, que estaba en Oviedo, quería ir a ver a su prometida y también a la reina doña Teresa, que era hermana suya. Al rey don Sancho le pareció bien. Entonces el infante se fue a León, llevando consigo a solo cuarenta de sus caballeros. Cuando los hijos del conde don Vela oyeron decir que el infante venía, saliéronle al encuentro y besaron sus manos, como en España acostumbra hacer el vasallo al señor. Íñigo Vela le dijo:

—Infante, te rogamos nos des las tierras que nuestro padre recibió del tuyo. Con esas tierras os serviremos como deben servir todos los castellanos a su señor.

El infante se las concedió de muy buena gana, por lo que de nuevo le besaron la mano. Salieron también a recibirle las autoridades que, en ausencia del rey, gobernaban León, así como el obispo don Pascual, que muy solemnemente le llevó a la catedral, en donde oyó misa.

Oída la misa y muy satisfecho el infante de que los hijos del conde don Vela se hubieran declarado vasallos suyos, fuese a ver a su prometida, con la que estuvo hablando muy a su sabor buena parte del día. Tanto se agradaron el uno del otro que les costó mucho trabajo separarse. Doña Sancha le dijo:

—Infante, habéis hecho muy mal en no venir armado, ya que no sabéis quién es vuestro amigo o vuestro enemigo.

Él respondió:

—Señora, yo nunca he hecho mal a nadie. ¿Quién puede desearme ningún mal a mí?

La infanta dijo que le constaba que había en León quien le quería mal. El infante se disgustó mucho al oir esto.

Mientras tanto, los hijos del conde don Vela deliberaban entre sí. Íñigo Vela dijo a su hermano que debían aprovechar la ocasión y matar al infante.

—Yo sé de qué modo podríamos promover un alboroto que nos sirviera de pretexto para matarle. Levantemos un tablado en medio de la calle. Como los caballeros castellanos son muy aficionados a este deporte y todos se querrán venir a divertir, no nos será difícil matarlos a todos.

Efectivamente, levantado el tablado y después de haber provocado a los castellanos, los traidores mandaron cerrar las puertas de la ciudad, de modo que nadie pudiera salir ni entrar a ayudarlos, y mataron a todos los caballeros que habían venido con el infante

Estando el infante con su prometida, sin sospechar nada de lo que pasaba, oyó gritar y salió a la calle a preguntar lo que sucedía. Al ver muertos a sus caballeros, se afligió mucho y se echó a llorar. Las gentes de los Vela se lanzaron contra él, le cogieron y le arrastraron hasta donde estaba el traidor de don Rodrigo Vela, que era su padrino. El infante le pidió que no le matara, prometiendo darle muchas tierras y mucho dinero. Don Rodrigo Vela se conmovió y le dijo a su hermano que mejor sería recibir todo lo que prometía y después echarle de Castilla. Íñigo Vela contestó indignado:

—Don Rodrigo: eso tenías que habérnoslo dicho antes de que matáramos a los caballeros; ahora ya no puede quedar esto así.

Al oír doña Sancha que el infante estaba en manos de los condes, se fue a ellos, diciéndoles:

—No matéis al infante, que es vuestro señor. Matadme a mí en lugar de él.

El conde Fernán Laínez, muy enfadado, se volvió a la infanta y le dio una bofetada. Don García que, como estaba sujeto, no podía defenderla, empezó a llamarles perros y traidores. Los Vela, al oír esto, le mataron con los venablos que tenían en las manos. La infanta se echó llorando sobre su cuerpo. El traidor de Fernán Laínez la cogió por el pelo y la echó por unas escaleras que de allí bajaban.

El rey don Sancho de Navarra que, como hemos dicho, había venido con el infante y se había quedado fuera de León, cuando oyó que el infante había sido atacado mandó armar a toda su gente y se fue hasta las puertas de la ciudad. Al ver que no podía ayudarle, porque estaban cerradas, pidió que se lo entregaran, aunque fuera muerto. Los condes echaron desde lo alto de la muralla el cadáver del infante, sin respeto alguno. El rey lo mandó poner en un ataúd. Entonces lo llevaron al monasterio de Oña, donde le enterraron junto a su padre, el conde don Sancho.

Los condes traidores, después de cometido el crimen, fueron a cercar el castillo de Monzón. El conde Fernán Gutiérrez, cuando supo lo que habían hecho y con qué intenciones venían, les salió al encuentro, los invitó a cenar y les dijo que descansaran allí aquella noche. Al recogerse ellos, escribió a toda prisa al rey don Sancho de Navarra y a sus dos hijos, don García y don Fernando, pidiéndoles que vinieran a socorrerle, porque, según decía, le tenían sitiado los hijos del conde don Vela.

El rey don Sancho se juntó con sus hijos en la vega del Castro, desde donde marcharon todos a Monzón. Los Vela, cuando lo supieron, se alarmaron mucho. Rodrigo Vela dijo a su hermano:

—Yo creo que vienen a vengar la muerte del infante don García.

Temiendo esto, Fernán Laínez montó sin silla en un potro bravo y echada la capellina [3] sobre la cara, para que nadie le reconociera, huyó como si fuera un paje que escapara de la cólera de su señor. El rey don Sancho atacó a los otros, los cogió presos y los quemó vivos, como traidores a su señor.

Fernán Gutiérrez, señor de Monzón, entregó este castillo y los demás que tenía al rey de Navarra, de quien se reconoció vasallo. El rey se fue entonces con sus dos hijos a León, donde desposaron al infante don Fernando con la doña Sancha que había estado antes prometida al malogrado infante don García. Hechos los desposorios, dijo doña Sancha al rey de Navarra que el matrimonio no se consu-

---

[3]   Capucha o capucho como el de los frailes de ciertas órdenes.

maría hasta que no la hubiera vengado de Fernán Laínez, que participó en el asesinato del infante y que a ella le había pegado y arrastrado. Mandó entonces el rey buscarle por los montes de León. Cuando le encontraron ordenó le llevaran a la infanta doña Sancha para que ésta se hiciese justicia con sus propias manos. La infanta, al ver a Fernán Laínez, cogió un cuchillo y le cortó las manos con que había herido al infante y pegado a ella, los pies de que se había valido para ir a cometer tan horrendo crimen, la lengua con que había urdido tan gran traición, y, finalmente, le sacó los ojos con que había visto morir a su señor. Ordenó luego que le llevaran en un borrico por todas las ciudades y pueblos de Castilla y León con un pregonero que fuera diciendo que se veía en tal estado por haber muerto a su señor el infante don García.

EL CABALLO DEL REY DON SANCHO

Eʟ rey don Sancho de Navarra[1] tenía un caballo que preciaba mucho porque era grande, fuerte, hermoso y muy manso y corría además más que ningún otro caballo que hubiera en su reino. Tanto cariño le tenía el rey que un día que salió de Nájera y dejó allí el caballo le encargó a la reina que ella en persona se lo cuidara. En aquella época era tan constante la guerra con los moros que los caballeros, los condes y aun los mismos reyes tenían el caballo en la misma cámara donde dormían, para en el momento en que oyeran llamar a las armas tener todo a mano para poder salir en seguida. La reina doña Elvira mandó traer el caballo que el rey tanto le encomendara a su propio aposento, cuidó mucho de él y ni de día ni de noche lo perdía de vista.

El infante don García, que era el mayor de sus hijos, cuando vio que su padre se había ido, le rogó a la reina con mucha insistencia que le diera el caballo. Ella, ante sus ruegos, prometió hacerlo. Pero un caballero de los que estaban a su servicio le dijo a la reina

---

[1] Sancho III, llamado el Mayor, sucedió a su padre García Sánchez II el año 1000. Agregó a su reino los condados de Sobrarbe y Ribagorza, y al morir su cuñado, el conde de Castilla don García Sánchez, también Castilla, por estar casado con doña Elvira, que era hermana de éste; luego fue arrancando diversas tierras al rey de León, Bermudo III, de cuya capital llegó a apoderarse el 1034. Favoreció mucho a los cluniacenses, construyó el camino de Santiago y al final de su vida acuñó moneda asumiendo el título de emperador. Al morir en 1035 dejó a don García, su hijo mayor, el reino de Navarra; a don Fernando, el hijo segundo, el reino de Castilla; al bastardo don Ramiro el reino de Aragón, y a don Gonzalo los condados de Sobrarbe y Ribagorza, que fueron a su muerte anexionados por don Ramiro. En 1054 el hijo mayor, García Sánchez III, murió en Atapuerca peleando contra don Fernando.

que de ningún modo se lo diera, ya que se exponía a caer por ello
en la ira del rey. La reina vio que tenía razón y se negó a darle el
caballo. Don García, cuando lo supo, se enfadó mucho y se fue a
proponer a su hermano, el infante don Fernando, que la acusaran
ante el rey de adulterio con el caballero que le había aconsejado no
le diese el caballo. Don Fernando al principio no quiso participar
en esta felonía, pero acabó prometiéndole que si él lanzaba la calumnia y luego le preguntaban a él si era verdad lo que decía su
hermano, diría que sí.

Don García, ciego de cólera, infamó a su madre ante el rey
don Sancho sin vergüenza alguna, poniendo por testigo a su propio
hermano. El rey, cuando oyó esto, lo hubo de creer y encerró a la
reina en el castillo de Nájera. Inmediatamente reunió cortes para
juzgarla. Las cortes dijeron que había que averiguar la verdad mediante un combate entre los acusadores y el defensor que tuviera la
reina. Pero como nadie quería luchar, en defensa de ella, contra
los infantes, se ofreció a hacerlo don Ramiro, que era hijo bastardo
del rey don Sancho y muy valiente y muy esforzado. Estando ello
así, vino a ver al rey un santo monje del monasterio que hay en
Nájera y díjole:

—Señor, si se demuestra que la reina ha sido calumniada, ¿per-
donaréis a los calumniadores?

Respondióle el rey que nada le agradaría más que el que se
probara la inocencia de ella. El santo monje, con quien se habían ido
a confesar, llenos de arrepentimiento, los dos infantes, apartó entonces al rey y después que le hubo dado palabra de perdonar a sus
hijos, le contó la verdad. Don Sancho, muy contento de que la reina
salvara la vida, la fue a sacar de la prisión y a pedirle que también
ella los perdonara. Doña Elvira accedió, mas con la condición de
que don García, que era el autor de la calumnia, no reinara en
Castilla, que ella había heredado al morir su hermano a manos de
los Vela. Así se hizo, ya que cuando el rey repartió sus tierras a sus
hijos dio a don García el reino de Navarra y a don Fernando le dio
Castilla. También dio Aragón a don Ramiro, su hijo bastardo, a
requerimiento de la reina, a quien él había dado en arras esta tierra
cuando se casaron. De esta manera llegó don Ramiro a ser rey, como
sus dos hermanos, por haber querido defender la inocencia y el honor
de la reina.

EL CERCO DE ZAMORA

El rey don Fernando el Magno [1], temiendo que después de su muerte hubiera guerras entre sus hijos, les dividió el reino de este modo: a don Sancho, que era el mayor, le dio Castilla desde el río Pisuerga y Nájera con todo lo que está de este lado del Ebro; a don Alfonso, que era el segundo, le dio León y Asturias y Trasmiera hasta el Eo y una parte de los Campos Góticos, que ahora llamamos Tierra de Campos; a don García, que era el tercero, le dio todo el reino de Galicia con aquella parte de Portugal que él había ganado; de las dos hijas dio a doña Urraca, que era la mayor, la ciudad de Zamora con todo su término y la mitad del Infantado; y a doña Elvira, que era la menor, la otra mitad con la ciudad de Toro y su término. Esta partición que hizo el rey don Fernando disgustó al primogénito, que le dijo que, pues ya en tiempos de los godos se resolvió que el reino de España no se dividiera, sino que todo fuese de un señor, y Dios había hecho que se juntara la mayor parte de él, no debía ni podía dividirlo de nuevo. El rey don Fernando contestó a su hijo que no lo dejaría de hacer por eso. Replicóle don Sancho:

---

[1] Don Fernando I sucedió a su padre, don Sancho el Mayor, como rey de Castilla el 1035. Combatió a su cuñado el rey de León Bermudo III, que murió en la batalla de Támara (1037) y al que heredó; tomó Coimbra, sometiendo a tributo a los reyes moros de Badajoz, Sevilla, Toledo y Zaragoza, y dos años antes de morir en 1065 dividió su reino entre sus hijos, como anteriormente había hecho su padre. Don Sancho II despojó de su reino a don García el 1071 y a don Alfonso el 1072; murió ante Zamora el 7 de octubre de este mismo año.

—Haced lo que queráis, pero yo no doy mi consentimiento a la partición.

Pocos días después enfermó don Fernando. Mandó llamar entonces a Ruy Díaz el Cid, a quien encomendó sus hijos e hijas y le rogó que los aconsejase y sirviese bien. Después pidió a sus hijos que le juraran que no se harían la guerra, sino que cada uno viviría en paz con lo suyo, que bastante tendrían, y que no quitarían nada a sus hermanas. Tanto el Cid como los hijos prometieron todo lo que el rey quiso, menos don Sancho, que se negó a hacerlo por oponerse a la partición. También mandó el rey a sus hijos, antes de morir, que en todo se guiasen por los consejos del Cid Campeador.

*

En el año 1070 de la Encarnación del Señor quitó el rey don García de Galicia a su hermana la infanta doña Urraca la mitad de lo que el rey don Fernando le había dejado. Ella, al ver esto, se quejó amargamente de que su hermano hubiera quebrantado el juramento que hizo a su padre y le pidió a Dios que le castigara, dejándole sin tierras, como él le hacía a ella.

Al rey don Sancho, que deseaba comenzar la guerra contra sus hermanos, agradóle mucho ver que ya había encontrado el pretexto y dijo para sí:

—Pues el rey don García ha faltado al juramento hecho a nuestro padre, puédole ahora quitar su reino.

Entonces envió por los ricoshombres y los caballeros de que él más se fiaba y les habló así:

—Sabéis cómo mi padre dejó sembrada la semilla de la discordia, pues dividió el reino que debía ser mío, que soy el mayor. Por tanto os ruego, como a vasallos buenos y leales, que me aconsejéis de qué manera ataque a mis hermanos, que no sea a traición, pues yo moriré o volveré a reunir el reino de mi padre.

El conde don García se levantó y dijo:

—Señor: ¿quién os ha aconsejado que hagáis tal cosa? Nadie que quiera aconsejaros bien os podrá aconsejar que vayáis contra lo dispuesto por vuestro padre, que dejó dicho que el que lo hiciere sería traidor.

Cuando esto oyó don Sancho replicó muy airado:

—Quitaos de delante que yo no espero buen consejo de vos.

Entonces cogió al Cid de la mano, le llevó aparte y le dijo:

—Os ruego que me aconsejéis lo que deba hacer para lograr lo que me he propuesto y que os acordéis de que dijo mi padre a la hora de la muerte que no erraría el que se aconsejara de vos. Por eso os dejó un condado en mi reino. Si vos no me aconsejáis, ¿de quién voy a fiarme?

—Señor —contestóle el Cid—, no me parece bien aconsejaros nada que vaya contra lo dispuesto por vuestro padre. Bien sabéis vos que me llamó a su lado, cuando ya había repartido sus reinos, y que me hizo jurar que aconsejaría a todos sus hijos lo mejor que supiese. Mientras yo pueda, debo hacerlo así.

Díjole entonces el rey don Sancho:

—Yo no creo que voy contra ningún mandato de mi padre, pues ni él podía en justicia dividir su reino ni yo quise nunca consentir en ello. Por tanto os ruego que me aconsejéis la mejor manera de volverlo a unir.

Cuando el Cid vio que no podía apartar a don Sancho de su propósito, le dijo que se aliara con el rey don Alfonso y que le pidiera permiso para atravesar con su hueste su reino y que si no se lo daba debía desistir de atacar al rey don García. El rey don Sancho, viendo que éste era un buen consejo, escribió a don Alfonso, pidiéndole que se entrevistara con él en Sahagún. Cuando don Alfonso leyó la carta se sorprendió mucho, preguntándose qué querría su hermano, pero contestó que estaba dispuesto a verse con él. El día señalado estaban los dos reyes en Sahagún. Dijo allí don Sancho a don Alfonso:

—Nuestro padre dividió muy mal el reino, pues dejó a don García la parte mayor y a vos la más pequeña. Por eso quisiera yo ahora quitársela.

Contestó don Alfonso que no iría él contra lo dispuesto por su padre y que estaba contento con lo suyo. Replicóle don Sancho:

—Hermano, dejadme pasar por vuestro reino, que yo os prometo daros la mitad de lo que a él le quite.

Convinieron entonces que celebrarían otra entrevista y que nombrarían cuarenta caballeros, veinte por Castilla y veinte por León, que velaran por la ejecución de lo que acordaran. Después de lo cual se volvió cada uno de los hermanos a su capital.

El rey don Sancho reunió una poderosa hueste de castellanos, leoneses, asturianos, navarros y vizcaínos, y aun vinieron a ella muchos aragoneses, para ir contra su hermano el rey don García. Después llamó al valiente Alvar Fáñez, que era sobrino del Cid Campeador, y le dijo:

—Id y decid a mi hermano el rey don García que, si no me da su reino, le desafío.

Alvar Fáñez sintió mucho tener que llevar este mensaje a un rey que era hermano del suyo, pero no tuvo más remedio que obedecer a don Sancho, su señor natural. Cuando lo hubo oído don García se afligió mucho y se encomendó a Dios, diciendo para sí:

—Señor mío Jesucristo: acuérdate del juramento que le hicimos a nuestro padre el rey don Fernando, antes que muriese, y cómo dijo él que el que fuera contra su mandato sería traidor y caería en la ira de Dios y en la suya; mas yo he sido el primero por mis pecados que faltó al juramento y que le quitó sus tierras a mi hermana.

Después de esto dijo a Alvar Fáñez:

—Decid al rey don Sancho que no quiera ir contra lo dispuesto por nuestro padre. Si lo hace, decidle que me defenderé lo mejor que yo pueda.

Alvar Fáñez se despidió de don García y se volvió a Castilla.

El rey don García llamó entonces a un caballero asturiano, vasallo suyo, cuyo nombre era Ruy Jiménez, y le dijo que fuese a su hermano el rey don Alfonso y que le informara de cómo don Sancho le desafiaba y quería quitarle su reino, por lo cual le rogaba que no le dejara cruzar con su hueste el reino de León. El caballero hizo lo que su señor le mandaba. Don Alfonso, al oírlo, respondió así:

—Id y decid a mi hermano el rey don García que yo ni le ayudaré ni le atacaré y que me alegraré mucho de que se pueda defender de don Sancho.

El caballero volvió con esta respuesta a don García y le dijo:

—Señor, a lo que yo entiendo os conviene mucho atender a vuestra defensa, pues vuestro hermano el rey don Alfonso no piensa ayudaros.

El rey don García, que era muy valeroso, quiso entonces sacar su hueste contra don Sancho. Tenía don García un consejero por quien se guiaba y a quien hacía partícipe de sus secretos, el cual era enemigo de los ricoshombres de aquel reino, a cuyas pretensiones siempre se oponía. Los ricoshombres, viendo el daño que de esto les resultaba, habían pedido a don García que le alejase de sí. Don García no quiso hacerlo, por lo que los nobles mataron al consejero delante de él. El rey lo sintió mucho, dijo que esto era un desacato muy grande y que sus autores nunca volverían a estar en su gracia y se mostró más contrario a ellos que antes. Sus vasallos, temiendo cumpliera sus amenazas y no queriendo sufrir las afrentas que él les hacía, se le apartaban y le abandonaban.

El rey don Sancho salió para Galicia con toda su hueste, y como encontró al rey y a los ricoshombres desavenidos, ocupó el país con facilidad. El rey don García mandó emisarios por todo su reino, pidiendo que fueran a juntarse con él todos los caballeros y hombres de armas, de los que reunió en Villafranca del Bierzo hueste muy lucida. El conde don Nuño de Lara, el conde Enzón y el conde don García de Cabra mandaban la vanguardia del rey don Sancho. El rey don García salió a su encuentro con resolución. Fue la batalla terrible y sangrienta. Murieron en ella más de trescientos caballeros del rey don Sancho; de don García murieron más del doble. Cuando supo don Sancho las pérdidas sufridas por su vanguardia, fue muy de prisa a socorrerla con todo su ejército. Don García, sin embargo, no se atrevió a esperarle y huyó. Don Sancho, sin detenerse, llegó tras él hasta Portugal.

El rey don García, viéndose vencido y perseguido por su hermano don Sancho, dijo a sus gentes:

—Amigos: ya no hay más tierra por donde podamos huir de don Sancho. Luchemos con él; venzamos o muramos, que es preferible la muerte a ver la destrucción de todo este reino.

Después apartó a un lado a los portugueses y a otro a los gallegos. Primero habló con los portugueses, a quienes dijo:

—Ya sé que sois muy buenos caballeros. Es necesario que la vergüenza de la derrota se trueque en la gloria del vencimiento. Tenéis fama de que con vosotros pocos señores alcanzan renombre; haced que yo la alcance, que la honra del triunfo será vuestra.

Si yo salgo de aquí victorioso, os lo premiaré de modo que veáis el deseo que tengo de favoreceros.

Ellos contestaron que pelearían de muy buena gana en defensa suya y que podía estar seguro de que por ellos no quedaría. Después que hubo dicho esto a los portugueses, se volvió don García a los gallegos y les habló así:

—Fama tenéis de caballeros buenos y leales. Nunca se dijo que ningún señor fuera desamparado por vosotros. Me pongo en vuestras manos, pues sé muy bien que me aconsejaréis lo mejor que supiereis y que me ayudaréis como buenos vasallos. Ya veis de qué modo nos persigue mi hermano don Sancho. No creo que podamos hacer otra cosa sino luchar y vencer o morir. Si creéis que hay un tercer camino, decídmelo, que yo estoy dispuesto a hacer lo que vosotros me aconsejéis.

Los gallegos dijeron que le ayudarían, que harían todo lo que él mandase y que creían que lo que él dispusiera sería lo mejor.

El rey don García acabó por hacerse fuerte en Santarén. Don Sancho entonces le cercó. Los de dentro salieron a pelear con los sitiadores, con los que combatieron toda una noche. Al día siguiente por la mañana salió el rey don García con su ejército, que dispuso en línea de batalla. Don Sancho dispuso también el suyo. Mandaba la vanguardia castellana el conde don García, una de las alas el conde Enzón y la otra el conde don Nuño. El conde don Fruela de Asturias iba en la retaguardia con el rey y don Diego de Osma llevaba el pendón. Tanto los unos como los otros estaban ansiosos de pelear. El rey don García esforzaba a los suyos, diciéndoles:

—Amigos y vasallos: ya veis que mi hermano quiere quitarme injustamente el reino que mi padre me dio. Os ruego que me ayudéis, pues os consta que desde que fui rey he compartido con vosotros tanto mi dinero como mis armas y mis caballos. Espero que hoy me agradezcáis lo que he hecho por vosotros.

Ellos, por demostrar más afecto a su rey, le llamaron de tú al responderle:

—Es muy cierto, señor, lo que dices, y hoy debes recoger el galardón del bien que nos has hecho.

Cuando ya estaba a punto de empezar el combate vino Alvar Fáñez ante el rey don Sancho y díjole a voces:

—Señor, me he jugado el caballo y las armas. Si me dais otro, yo os prometo pelear como seis; si no lo hago, quede por traidor.

El conde don García dijo entonces al rey:

—Dadle, señor, lo que os pide.

Respondióle el rey:

—Sí que lo haré.

Y le mandó dar las armas y el caballo que le pedía.

En seguida empezó la batalla, en la que murieron muchos caballeros y hombres de armas. Del rey don García murió un caballero muy estimado, que se llamaba don Gonzalo de Ansinis. Al fin comenzaron a llevar la peor parte los castellanos, de los que fue herido el conde don Nuño y preso el conde don García. El rey don Sancho cayó del caballo y fue cogido por el rey don García, que le dio a guardar a seis caballeros, mientras él iba en persecución de los que huían. Don Sancho dijo entonces a los seis caballeros:

—Si me dejáis ir, os prometo salir de este reino y no volver a haceros la guerra. Fuera de esto os haré muy ricos.

Replicaron ellos que de ningún modo le dejarían ir, sino que le tendrían preso, sin hacerle daño, hasta que volviera el rey don García. Estando en esto, llegó Alvar Fáñez con el caballo y armas que el rey le había dado y dijo a voces a los caballeros:

—Dejad, traidores, al rey don Sancho.

Diciendo y haciendo los atacó, derribando a dos y poniendo en fuga a los demás. Cogiendo los caballos de los dos que había derribado, dio uno a don Sancho y se quedó con otro. Después se fueron hacia una mota adonde se habían retirado muchos castellanos, a los que Alvar Fáñez comenzó a decir:

—Ved aquí, caballeros, al rey don Sancho. Recordad la fama que los castellanos siempre habéis tenido. No queráis perderla.

Entonces se unieron al rey don Sancho unos cuatrocientos caballeros de los que ya huían. En aquel momento vieron venir al Cid Campeador, que no había estado en esta batalla, con otros trescientos caballeros. El rey don Sancho se alegró mucho y dijo a sus gentes:

—Bajemos al llano, que pues ha llegado el Cid los venceremos.

Al acercarse el Cid, le recibió muy afablemente y le dijo don Sancho:

—Bien seáis venido, Cid el bienaventurado, que nunca vasallo ayudó a su señor en mejor punto que ahora lo hacéis.

Respondióle el Cid:

—Creedme, señor, si os digo que hoy os recobraréis y venceréis o moriré yo aquí.

Estando en esto don Sancho y el Cid volvió don García muy alegre y ufano, contando a los suyos cómo había vencido y tenía preso a don Sancho. Cuando le dijeron que se había escapado y que se disponía a combatir de nuevo se disgustó mucho, pero comprendió que no había más remedio que poner otra vez mano a la espada. Entonces comenzó un combate más reñido y sangriento que el anterior. Por fin huyeron los portugueses, desamparando al rey don García. Los castellanos mataron al infante don Pedro, que había sido ayo de don García, y a otros trescientos caballeros más. El Cid Campeador cogió al rey don García y se lo llevó a su hermano don Sancho, que le puso esposas y grillos y le encerró en el castillo de Luna, donde murió al cabo de diecinueve años de prisión.

Después que el rey don Sancho hubo conquistado lo que su padre dejó a don García comenzó a hacer la guerra a don Alfonso, que reunió su hueste y acordó con él que pelearan los dos en fecha convenida y con la condición de que el que venciera se quedara con el reino del otro. El día fijado hubo una batalla en Llantada, donde peleó muy gallardamente Ruy Díaz el Cid y donde don Sancho quedó victorioso. Don Alfonso huyó para León. Como esta batalla no fue decisiva, resolvieron los dos hermanos que hubiera otra y que el que la ganara se quedara, esta vez definitivamente, con todo. La nueva batalla se dio en Golpejera. En ella murieron muchos de ambas partes. Al fin fue vencido el rey don Sancho, que comenzó a huir. Entonces don Alfonso, doliéndose de la sangre cristiana que se estaba vertiendo, mandó a los suyos que no persiguieran a los que huían y que no mataran a nadie más. Cuando el Cid vio vencido a su rey, le dijo para animarle:

—Señor, los leoneses estarán ahora muy tranquilos en su campamento, sin pensar en vos. Haced que vuelvan los que huyen, juntad a todos y mañana al amanecer podréis atacar a leoneses y asturianos cuando no lo esperen, pues estas gentes, cuando les va bien son muy amigos, como los gallegos, de jactancias y baladronadas y de reírse de los demás. Por eso esta noche se quedarán charlando hasta muy tarde y por la mañana estarán como leños.

Todo sucedió como había dicho el Cid: don Sancho atacó a los leoneses al romper el día, mató a muchos de ellos, cogió a otros muchos y aun tuvo tiempo de perseguir a los que habían huido. El rey don Alfonso fue preso en la iglesia de Santa María de Carrión, donde se había metido. Los leoneses que huían, al ver cautivo a su señor, volvieron a la lucha con nuevos bríos y cogieron al rey don Sancho. El Cid Campeador, cuando vio que se lo ll:evaban catorce leoneses, fue a ellos y les dijo:

—Dadme mi señor, que yo os daré el vuestro.

Respondieron ellos:

—Puesto que todos somos cristianos, no nos gustaría haceros daño sin necesidad. Volveos, don Rodrigo, y dejadnos en paz, si no queréis que también os llevemos a vos.

Replicóles el Cid:

—Si me dais una lanza, que la mía se ha roto, ya veréis si puedo, aunque yo sea uno solo y vosotros catorce, librar a mi señor con ayuda de Dios.

No temiendo ellos nada a un solo caballero le dieron la lanza. El Cid los supo atacar tan hábilmente y con tanto denuedo que mató a todos, menos a uno a quien quiso perdonar la vida, y libró a su señor, quien, reunido de nuevo con sus castellanos, se llevó preso a Burgos al rey don Alfonso.

La infanta doña Urraca, cuando oyó decir que su hermano don Alfonso estaba cautivo, temió que don Sancho le matara para gozar con más seguridad el reino de León y se fue a Burgos, acompañada del conde don Pedro Ansúrez. El conde y sus otros amigos aconsejaron a doña Urraca que pidiera a don Sancho que libertase a don Alfonso con la condición de que se hiciera monje en Sahagún. Así se convino y el rey don Alfonso se fue al monasterio, aunque mucho más por necesidad que por vocación. También por consejo de don Pedro Ansúrez se salió una noche en secreto de allí y se fue a poner bajo el amparo de al-Ma'mún, rey moro de Toledo, quien le recibió con mucha cortesía, le dio lo necesario para que viviera y le trató como a un hijo. Con él estuvo don Alfonso hasta que murió su hermano don Sancho. También se fueron con él a Toledo, por deseo de doña Urraca, para servirle y aconsejarle, los tres hermanos Pedro Ansúrez, Gonzalo Ansúrez y Fernán Ansúrez, que no quisieron hacerse vasallos del rey don Sancho.

Estando en Toledo juró don Alfonso al rey al-Ma'mún que mientras estuviera allí le serviría bien y lealmente. El moro le juró amistad a don Alfonso, al que edificó un hermoso palacio, cerca del alcázar, pero fuera de murallas, para que pudiese entrar y salir sin ser molestado. También estaba el palacio cerca de una huerta que el rey tenía y a la que don Alfonso acostumbraba a ir a solazarse con sus caballeros. Viendo el rey don Alfonso la riqueza y el poder del rey al-Ma'mún y la hermosura de su capital, que había sido la corte de los visigodos, se dolía mucho de que ésta estuviera en manos de infieles, y pensaba que quizás algún día Dios le permitiría reconquistarla. Mientras tanto cumplía su deber peleando con los moros que eran enemigos del rey de Toledo. Cuando no había guerra iba don Alfonso a cazar por los montes y por las orillas de los ríos.

En aquella época había en las riberas del Tajuña mucha caza mayor: osos, venados y jabalíes. Un día, yendo don Alfonso Tajuña arriba, encontró un lugar llamado Brihuega, que tenía un hermoso castillo y era muy ameno y abundante en caza. Vuelto a Toledo lo pidió a al-Ma'mún. El moro se lo dio. Don Alfonso tomó posesión de Brihuega y dejó en el castillo a los monteros cristianos que consigo tenía.

Un día salió a su huerta el rey al-Ma'mún con muchos de sus moros y, mirando desde allí Toledo y sus defensas, se puso a discutir si podría ser tomada. Mientras tanto, don Alfonso, que también había salido a la huerta, se echó a la sombra de un árbol y trató de dormirse. El rey al-Ma'mún, andando por la huerta, llegó al lugar donde se había echado don Alfonso. Creyendo que dormía, no quiso despertarle y, sin preocuparse de que lo oyera, continuó la conversación que había comenzado y preguntó a los moros que le acompañaban si creían que Toledo podría ser tomada. Uno de los moros le respondió entonces:

—Si las mieses y las viñas y los frutales de esta región fueran talados siete años seguidos y la ciudad fuera sitiada, a los ocho años se la podría tomar muy bien por hambre.

El rey don Alfonso, que no dormía, como creían los moros, conservó en la memoria lo que les oyó decir de la manera cómo podría tomarse Toledo.

Después de esto, un día que los moros celebraban lo que ellos llaman pascua del carnero, según los ritos de su religión, salió el rey al-Ma'mún muy acompañado a degollar el carnero donde acostumbraban a hacerlo. También salió con él, por honrarle, don Alfonso con sus caballeros. Yendo todos juntos, dos moros comenzaron a hablar de él, diciendo el uno al otro:

—¡Qué gallardo es este cristiano! ¡Cuán nobles son todas sus acciones! Merecía tener bajo su cetro un reino muy grande.

Respondió el otro:

—Yo soñé la noche pasada que este don Alfonso entraba en Toledo montado en un puerco.

Mientras así hablaban se le erizaron los cabellos al rey don Alfonso. El rey al-Ma'mún, creyendo que el viento se los levantaba, alzó la mano y trató de alisárselos; pero cuanto más se los alisaba el rey al-Ma'mún, más se le erizaban a don Alfonso. Después que el carnero fue degollado se volvieron todos a Toledo.

El rey al-Ma'mún había oído muy bien lo que hablaban los moros. Al llegar a palacio los mandó llamar y les pidió que se lo repitieran. Ellos lo hicieron sin quitar palabra. El rey hizo entonces venir a sus sabios, a quienes contó lo del sueño del moro y cómo los cabellos se le habían erizado al rey don Alfonso. Los sabios dijeron que todo ello significaba que don Alfonso había de reinar en Toledo y que era mejor que ahora le matara. Al-Ma'mún dijo que no lo haría, ya que él vivía confiado en su palabra, a la que de ningún modo faltaría, en primer lugar porque le quería mucho y en segundo lugar porque don Alfonso le servía muy bien en las guerras que tenía contra sus enemigos. Agregó al-Ma'mún que ya procuraría que no pudiera hacerle daño ninguno. Llamó entonces a don Alfonso y le pidió que le jurase que nunca iría contra él ni contra sus hijos. Don Alfonso se lo juró y le prometió que siempre le ayudaría contra sus enemigos. Desde aquel momento el moro y el cristiano estrecharon aún más la amistad que tenían. En todas estas cosas se guiaba éste por los consejos de don Pedro Ansúrez.

Después que el rey don Alfonso hubo huido a Toledo, el rey don Sancho reunió su hueste y se fue a León. Aunque los leoneses se defendieron gallardamente, el rey don Sancho, que era muy esforzado, tomó la ciudad, donde se coronó y empezó a llamar rey de los tres reinos.

Viendo doña Urraca y los zamoranos que el rey don Sancho le querría quitar también a ella lo que su padre le había dejado, nombraron caudillo a don Arias Gonzalo, ayo de la infanta, para defenderse de los castellanos. Don Sancho efectivamente quería quitar su tierra a sus hermanas, porque le habían dicho que ellas lamentaban mucho el destierro que sufría don Alfonso y creía además que por consejo de ellas, pero sobre todo de doña Urraca, que era la mayor y más inteligente y la que más amaba a don Alfonso, se había éste escapado del monasterio.

Yéndose a Toro, le quitó don Sancho esta ciudad a su hermana doña Elvira con la mitad del Infantado. Después le quitó la otra mitad a doña Urraca, a la que pidió diese Zamora, prometiéndole a cambio no le faltaría lo necesario ni dónde vivir. La infanta contestó que de ningún modo le daría lo que su padre le había dejado. Entonces sus vasallos aconsejaron a don Sancho que se fuera a Burgos a descansar durante el invierno, que reuniera todos los caballos, armas y bastimentos que pudiese y que cuando comenzase la primavera cercase Zamora. Así lo hizo el rey.

El año 1072 envió el rey don Sancho cartas por sus reinos, diciendo que el día primero de Marzo estuvieran reunidos en Sahagún todos sus caballeros y sus peones. Nadie faltó, porque, aunque don Sancho era tan mozo que aún le estaban saliendo las barbas, todos le temían. Don Sancho, cuando supo que estaban reunidos, se alegró mucho, alzó las manos al cielo y dijo:

—¡Loado seas tú, Señor, que me has dado todos los reinos que eran de mi padre!

Mandó entonces que todos los que estaban en Burgos salieran tras él. Aquella noche albergaron en Frómista. Al día siguiente pasaron por Carrión, donde el rey no quiso detenerse, sino que siguieron para Sahagún, donde estaba su hueste y donde prefirió acampar fuera de murallas. A media noche mandó que la hueste se pusiera en movimiento. Tanto anduvieron que a los tres días estaban en Zamora, donde establecieron el campamento a orillas del Duero. Dispuso don Sancho que nadie atacara a los zamoranos hasta que él lo ordenase. Después dio una vuelta alrededor de la ciudad, viendo cómo por un lado estaba edificada sobre una roca cortada a pico y por el otro la defendía el Duero y toda ella estaba cercada de fuertes muros con muchas torres; por lo cual dijo a los que le acompañaban:

—Ved cuán fuerte es Zamora; yo creo que esta ciudad no puede ser tomada por moros ni por cristianos. Si yo lograra que mi hermana me la diese por dinero o por cambio, podría considerarme dueño de España.

Después que don Sancho vio la ciudad se volvió a su tienda, llamó a Ruy Díaz y le dijo:

—Cid: no habéis olvidado cómo mi padre os crió en su casa con todo regalo ni cómo os armó caballero y os hizo mayordomo suyo cuando ganó Coimbra de los moros; también recordaréis cómo, cuando murió, nos hizo jurar a todos sus hijos que os favoreceríamos, por lo que yo os he hecho el primero en mi corte y os he dado más tierras que a nadie. Ahora os quiero rogar como amigo y mandar como señor que vayáis a Zamora y digáis a mi hermana doña Urraca Fernández que me la venda o que me la cambie. Si me la cambia, yo le daría Medina de Rioseco con todo su término y lo que hay de Villalpando a Valladolid, y el castillo de Tiedra, que es muy buen castillo. También juraría con doce de los míos el convenio que hiciéramos. Si no accede, decidle que yo le quitaré Zamora por la fuerza.

El Cid se despidió entonces del rey y se fue para Zamora con quince de sus caballeros. Al llegar cerca de la ciudad dijo a los que guardaban el muro que no le tirasen ninguna flecha, puesto que él venía con un mensaje del rey don Sancho para doña Urraca, a la que debían preguntar si quería recibirle. Entonces un caballero, que era sobrino de don Arias Gonzalo y que tenía a su cargo la puerta, díjole que entrara y que descansara mientras se lo preguntaba a doña Urraca. El Cid le dio las gracias. El caballero se fue a la infanta y le dijo que don Rodrigo Díaz había venido con un mensaje del rey su hermano. Ella mandó a don Arias Gonzalo que le saliese a recibir con muchos caballeros y que le trajese a su presencia, a ver qué quería el rey don Sancho. Cuando el Cid entró por la sala, doña Urraca le dio la bienvenida muy afablemente. Después se sentaron y doña Urraca, antes que el Cid hubiera hablado nada, le dijo:

—Cid: os acordáis de cómo os criaron conmigo en casa de don Arias Gonzalo, que está aquí presente, y cómo os encargó mi padre don Fernando que nos aconsejarais a sus hijos lo mejor que supieseis. Por tanto os ruego que me digáis qué es lo que pretende don Sancho, que veo ha traído contra mí a toda España, o adónde piensa dirigir su hueste.

Contestóle el Cid:

—Doña Urraca, si vos me aseguráis de cualquier daño que pueda venirme, como debe hacerse a todo mensajero, yo os diré lo que el rey me ha mandado os diga.

Doña Urraca replicó que ella no haría más que lo que dispusiese don Arias Gonzalo. Don Arias le dijo que debía oír lo que su hermano le dijera y que si por ventura le pedía ayuda contra los moros debería dársela y que en este caso él le daría al rey a quince de sus hijos bien pertrechados de armas y caballos y los mantendría a su costa, por lo menos diez años. La infanta dijo entonces al Cid que expusiera el mensaje que traía. Don Rodrigo Díaz lo hizo de este modo:

—El rey don Sancho os saluda y os pide que le deis Zamora por dinero o por cambio. Si se la cambiáis, os dará lo que hay de Villalpando a Valladolid y Medina de Rioseco con todo su término, y el castillo de Tiedra, que es muy buen castillo, y os jurará con doce de los suyos cumplir todo lo que vosotros ahora acordéis. Dice también que, si no se la dais, os la quitará por la fuerza.

Cuando doña Urraca oyó esto se afligió mucho y empezó a decir, llorando amargamente:

—Desgraciada de mí. ¿Qué haré bajo el peso de tantas calamidades como han sucedido desde que murió mi padre? Veo a mi hermano el rey don García encadenado y preso, como si fuera un malhechor. Veo a mi otro hermano el rey don Alfonso huido a Toledo y viviendo entre moros, como si hubiese cometido alguna traición. Y el rey don Sancho no ha permitido que le acompañaran más que don Pedro Ansúrez y sus dos hermanos. Ahora don Sancho le ha quitado Toro a mi hermana y a mí me quiere quitar Zamora. Ojalá se abriese la tierra y me tragase, para no ver tantas desgracias.

Muy airada como estaba contra el rey don Sancho, cuentan que después dijo lo siguiente:

—Yo mujer soy y bien sabe mi hermano que no puedo luchar con él, pero yo le haré matar ocultamente o a la vista de todos.

Levantóse entonces don Arias Gonzalo y le dijo en presencia del consejo y de los vecinos honrados de Zamora que doña Urraca había hecho venir:

—Señora: no creo que ganéis nada con llorar ni quejaros. El varón prudente medita mucho en las dificultades lo que ha de hacer y toma aquella resolución que le parece más acertada. Hagámoslo así nosotros ahora. Mandad que se reúnan los zamoranos, chicos y grandes, en S. Salvador y preguntémosles si quieren luchar en defensa vuestra, ya que el rey don Fernando os dejó por señora de ellos. Si están dispuestos a pelear por vos, no deis Zamora por dinero o por cambio; si no lo están, despidámonos de ellos y vayámonos a Toledo, como el rey don Alfonso.

Doña Urraca, que era mujer muy inteligente, hizo lo que le aconsejaba don Arias Gonzalo y mandó reunir a todos los zamoranos en S. Salvador. Cuando estuvieron juntos les habló de este modo:

—Amigos y vasallos: os he llamado para que sepáis que el rey don Sancho me pide que le dé esta ciudad por dinero o por cambio. Dice que si no que me la quitará. Si vosotros estáis dispuestos a defenderme, como buenos vasallos, no se la daré. Por eso quiero, antes de decidir, oír vuestra opinión.

Entonces se levantó un anciano caballero, de los más nobles que había en Zamora, llamado don Nuño, y en nombre de todos le respondió así:

—Señora: que Dios os premie el honor que nos habéis hecho al venir a reuniros con nosotros, que somos vuestros vasallos y que os defenderemos hasta la muerte, que sufriremos de buena gana antes de rendir la ciudad de Zamora.

Cuando la infanta doña Urraca hubo recibido esta gallarda respuesta de los zamoranos, se alegró mucho y le dijo al Cid:

—Ya habéis oído lo que contesta la ciudad de Zamora. Id y decid a mi hermano don Sancho que antes moriré yo con los zamoranos y ellos conmigo que se la demos por dinero o por cambio.

Despidióse el Cid, se fue para don Sancho y le contó todo.

Oída por don Sancho la contestación de doña Urraca y los zamoranos, se enfadó con el Cid, a quien acusó de haber aconsejado a la infanta doña Urraca que resistiera. Tanto se enfadó que le mandó salir desterrado dentro del término de nueve días. El Cid entonces se fue a su tienda, reunió a sus amigos, parientes y vasallos y dejó con ellos el campamento del rey don Sancho, pensando en irse a Toledo, como don Alfonso. Aquella noche se alojó en Castronuño. Cuando lo supieron los ricoshombres y los condes que había en la hueste de don Sancho, le dijeron al rey:

—Señor: de ningún modo debierais perder tan buen vasallo como el Cid Campeador. Mandadle que regrese y no le volváis a apartar de vos, pues perderíais mucho si lo hicierais.

El rey comprendió que tenían razón y, mandando llamar a Diego Ordóñez, que era un caballero hijo del conde don Ordoño y sobrino del conde don García, le dijo:

—Id de prisa tras el Cid y decidle cuando le alcancéis que le ruego que vuelva, y que si lo hiciere no solo obrará como leal vasallo, sino que yo le haré el primero en mi casa y le daré otro condado, además del que tiene.

Diego Ordóñez se fue lo más de prisa que pudo detrás del Cid. Don Rodrigo Díaz, cuando le vio llegar, le recibió muy afablemente y le preguntó que a qué venía. Don Diego Ordóñez le dio el mensaje que traía del rey, explicándole que cuando don Sancho le mandó salir desterrado lo hizo con el enojo que recibió de la respuesta de doña Urraca. El Cid contestó que antes de decidir tenía que hablar con sus vasallos y pedirles consejo. Reunidos sus vasallos, les contó el mensaje que había recibido del rey don Sancho. Sus vasallos le aconsejaron que se volviese, puesto que el rey se lo rogaba, pues más valía quedarse en su tierra y con su señor que irse desterrado a vivir entre moros. Viendo el Cid entonces que esto era lo más acertado, llamó a don Diego y le dijo que quería hacer lo que el rey le pedía. Don Diego Ordóñez le mandó decir al rey don Sancho que volvía con el Cid. Don Sancho le salió a recibir con muchos caballeros a dos leguas de su campamento. El Cid, cuando vio al rey, bajó del caballo y le fue a besar la mano, pidiéndole que le renovara la promesa que le había hecho por medio de don Diego Ordóñez. El rey se la renovó delate de todos y le aseguró que le haría otras mercedes. Después se fueron al campamento, todos muy contentos con el regreso del Cid Campeador.

El rey don Sancho celebró consejo con sus caballeros sobre la manera de tomar Zamora. Hecho esto, mandó que al día siguiente estuvieran todos listos para el ataque, que fue muy sangriento y que duró sin interrupción cuatro días con sus noches. Al final el foso, que era muy hondo, quedó cubierto de piedra y tierra. También derribaron los asaltantes las barbacanas. Ya los sitiados y los sitiadores se podían herir con las espadas, con lo que moría tanta gente de un lado y de otro que el agua del Duero bajaba desde Zamora teñida de sangre. Cuando el conde don García de Cabra vio tanta sangre se apiadó mucho de los cristianos que así morían, se fue al rey don Sancho y le dijo:

—Señor: mandad que cese el ataque, pues perderéis en él a muchos vasallos. Cercad la ciudad, que antes la tomaréis por hambre que por fuerza.

Mandó entonces el rey que se retiraran los asaltantes y que se contaran los muertos, que llegaban ya a mil y trescientos. Don Sancho, cuando lo supo, se afligió mucho y ordenó cercar la ciudad. Este sitio duró mucho tiempo. Dicen que un día, dando el Cid solo la vuelta a Zamora, se encontró con catorce caballeros y mató a uno. y puso en fuga a los trece restantes.

Cuando don Arias Gonzalo vio los muertos que había en Zamora y el hambre de sus moradores, le dijo a la infanta:

—Señora: os ruego que os compadezcáis de los zamoranos y que, juntando a todos, les digáis que entreguen la ciudad dentro de nueve días, que bastante han sufrido por vuestra causa. Vayámonos nosotros con don Alfonso a tierra de moros, ya que no creo que debáis poneros en poder de don Sancho.

Al oír los de Zamora que doña Urraca, agradeciéndoles su lealtad, les decía que entregaran la ciudad a don Sancho, que ella se iría a Toledo con el rey don Alfonso, se afligieron mucho de tener que rendirse después de haber resistido un asedio tan largo. Por lo cual resolvieron los más no quedarse en Zamora e irse con la infanta.

Estando doña Urraca hablando con los zamoranos, un caballero, llamado Vellido Adolfo, se levantó y dijo:·

—Señora: yo vine a serviros a Zamora con treinta caballeros, vasallos míos. Aunque, gracias a Dios, os he servido siempre muy bien, nunca me habéis querido conceder nada de lo que os he pedido, como bien sabéis. Si ahora me concedierais lo que yo os pidiese, yo obligaría al rey Sancho a descercar Zamora.

Contestóle doña Urraca:

—Vellido Adolfo: dice un proverbio que bueno es comprar al tonto y al necesitado. No creo, por tanto, que te sea difícil conseguir de mí lo que quieras. Si tú has pensado alguna traición, no te mandaré yo que la hagas; sólo te diré que a nadie que obligue al rey mi hermano a descercar Zamora le negaré yo nada que me pida.

Cuando Vellido Adolfo oyó a la infanta decir esto, le besó la mano sin hablar más. Después se fue a la puerta de la ciudad y le pidió al guerrero que la tenía a su cargo que si le veía salir huyendo se la abriese en seguida. Para obligarle más le regaló su manto. Hecho esto, se fue a su casa, se armó por completo y yendo a la de don Arias Gonzalo, le dijo:

—Bien sabemos todos que como tenéis trato ilícito con doña Urraca no queréis que se avenga con su hermano don Sancho.

Don Arias Gonzalo, muy disgustado de oír tales bellaquerías, contestó a Vellido:

—En mal día nací, pues en mi vejez me dicen tales injurias, sin que nadie me vengue.

Entonces sus hijos se armaron muy de prisa y se fueron tras Vellido Adolfo, que huyó hacia la puerta. Al verle el guerrero que la guardaba, se la abrió, según lo convenido. Vellido Adolfo se fue a galope hasta el campamento del rey don Sancho, a quien besó la mano, haciéndose por ello su vasallo, y dijo estas palabras, falsas y engañosas:

—Señor: los hijos de don Arias Gonzalo me han querido matar por haber dicho a los zamoranos que se rindieran. Por eso me he venido a ser vuestro vasallo. Yo haré, con ayuda de Dios, que se os rinda Zamora en muy pocos días; si no lo consigo, podéis matarme.

El rey le creyó, le recibió por vasallo y le trató muy bien. Con esto Vellido Adolfo llegó a captarse la confianza del rey don Sancho.

Al día siguiente de la venida de Vellido Adolfo, un caballero de Zamora subió a la muralla y dijo a grandes voces a los sitiadores:

—Rey don Sancho, rey don Sancho: no olvidéis lo que os digo. Yo soy un hidalgo, hijo y nieto de gentes que se preciaron de muy leales. No quiero por tanto dejar de deciros la verdad. Plega a Dios que me creáis. De esta ciudad ha salido un traidor, llamado Vellido Adolfo, que va a mataros. Os digo esto para que, si os mata, no se diga en el resto de España que no os advertimos.

Cuando Vellido Adolfo lo oyó, fuese para el rey y le dijo:

—Señor: ese viejo de Arias Gonzalo, que sabe mucho, ha mandado se diga esto para que vos no me creáis y no toméis Zamora.

Entonces pidió su caballo, dando a entender que se iba sentido de que se dijeran tales cosas de él. El rey le cogió de la mano y le dijo:

—Amigo y vasallo: nada debe importaros lo que los de Zamora digan de vos. Yo os prometo que, si tomo Zamora, seréis alcaide y caudillo de ella, como lo es ahora don Arias Gonzalo.

Vellido Adolfo le besó la mano y le dijo que le pedía a Dios le concediese vida y salud para poder hacerlo. Pero aunque el traidor estas cosas decía, otras maquinaba.

Vellido Adolfo, deseando hacer lo que había pensado, apartó a don Sancho y le dijo:

—Señor: cabalguemos los dos y vayamos a dar la vuelta a Zamora para ver los fosos que habéis hecho y poder yo mostraros el postigo que llaman de la Arena, por donde se puede tomar la ciudad, pues nunca se cierra. Al anochecer me daréis cien caballeros que vayan conmigo. Iremos a pie. Como los zamoranos están muy débiles por el hambre y por las privaciones no nos será difícil ganar el postigo y luego la puerta, que abriremos para que entre toda la hueste.

El rey le creyó y cabalgaron ambos. Andando cerca de Zamora, lejos del campamento, y pensando el rey de qué manera la podría tomar, vieron dos fosos que él había hecho y le enseñó el traidor el postigo por donde decía podía entrarse en Zamora. Después que la hubieron rodeado del todo, quiso el rey darse un paseo a pie por la orilla del Duero. Deseando apartarse a una necesidad que no podía excusarse, le dio don Sancho a Vellido Adolfo un venablo dorado que llevaba en la mano, como acostumbraban a hacer los reyes. Vellido Adolfo, cuando le vio de aquella manera, le lanzó el venablo, que, entrándole por la espalda, le salió por el pecho. Dejando al rey muy mal herido, montó a caballo y fuese a carrera tendida para el postigo que le había mostrado. No fue ésta la primera traición que hizo Vellido Adolfo, pues antes había muerto de mala manera al conde don Nuño.

Ruy Díaz el Cid, cuando le vio correr de este modo, le preguntó por qué huía, pero él no le respondió. Comprendiendo el Cid que algo malo había hecho y aun sospechando que hubiera muerto al rey don Sancho, porque, como hemos dicho, en aquellos días supo captarse de tal manera su confianza que casi nunca se apartaba de él, pidió muy de prisa su caballo. Con la preocupación que sentía por don Sancho, cogió el Cid la lanza, montó y se fue sin esperar a calzarse las espuelas. Vellido Adolfo torció su camino y, en lugar de ir hacia el postigo, tomó hacia la puerta. Dicen que el Cid le alcanzó en el momento en que entraba por las puertas y que, lanzándole la lanza, le mató el caballo. Muchos aseguran que le hubiera muerto de haber llevado puestas las espuelas y que el Cid maldijo al caballero que montase sin ellas. Algunos le critican por no haberse entrado en Zamora tras Vellido Adolfo. Esto es lo único que se censura en la vida del Cid; la verdad es que si no lo hizo no fue por temor de muerte o prisión, sino por lo desconcertado que quedó al ver salir huyendo a Vellido Adolfo.

Cuando Vellido Adolfo entró en Zamora tenía tanto miedo que se fue a la infanta y se metió bajo su manto. Entonces le dijo a doña Urraca don Arias Gonzalo:

—Señora: os ruego que entreguéis a los castellanos este traidor. Si no lo hacéis, os vendrán por ello muchos daños, pues querrán los vasallos de vuestro hermano desafiar a Zamora, y tendrán razón.

Respondióle la infanta:

—Don Arias Gonzalo: aconsejadme qué haga con él para que no muera por lo que ha hecho.

Replicóle don Arias:

—Dádmelo a mí, que yo le tendré a buen recaudo veintisiete días. Si en este tiempo nos desafían los castellanos, se lo entregaremos; si no lo hacen, le echaremos de Zamora para que nunca vuelva por aquí.

La infanta tuvo que someterse al parecer de don Arias Gonzalo y dejar que cogiera a Vellido Adolfo, al que puso en cadenas para que no se pudiera escapar.

Habiendo Vellido Adolfo huido a Zamora, fueron los castellanos a buscar a su señor. Le encontraron a orillas del Duero, herido de muerte, pero conservando todavía el habla. Aunque el venablo, que le había entrado por la espalda, le salía por el pecho, no osaron sacárselo por miedo de que perdiera entonces el habla y muriera sin confesión. Llegó entonces un cirujano que había en la hueste y mandó serrar el venablo por pecho y espalda, temiendo que moriría si se lo sacaban. El conde don García de Cabra le dijo al rey:

—Atended, señor, a la salud del alma, pues estáis muy mal herido.

Contestóle don Sancho:

—Bendito seáis, conde, por haberme hablado con tanta franqueza. Ya comprendo que muero. Matóme el traidor de Vellido Adolfo, que se había hecho mi vasallo. Bien veo que esto es castigo por mis pecados y por lo mal que me he portado con mis hermanos y por haber ido contra lo dispuesto por nuestro padre a la hora de la muerte.

Acabando el rey de decir esto, llegó el Cid, se hincó de rodillas y le habló de este modo:

—Señor: yo quedo más en peligro que ningún otro de vuestros vasallos. Cuando vuestro padre el rey don Fernando dividió su reino, me encomendó a vos y a todos vuestros hermanos para que me honraseis y favorecieseis. Creen ellos que por serviros a vos les he hecho mucho daño; por lo cual me aborrecen. Si ahora me voy a tierra de moros me encontraré con don Alfonso; y si me quedo en tierra de cristianos, tropezaré con doña Urraca, que también cree que cuanto mal le habéis hecho ha sido por mi culpa. Bien sabéis vos, señor, que siempre os aconsejé como debe hacerlo un vasallo leal y que nunca os dije hicieseis tales cosas; por lo que os ruego que os acordéis de mí antes de morir.

El rey mandó entonces que le sentaran en el lecho, donde yacía rodeado de condes, ricoshombres, arzobispos y obispos, a los cuales dijo:

—Amigos y vasallos: verdad dice el Cid en lo de haberme aconsejado siempre muy bien y no haberme nunca aconsejado hiciera mal a nadie; por tanto, ruego al conde don García, que está aquí presente, que cuando vuelva mi hermano don Alfonso de tierra de moros, que volverá en cuanto sepa mi muerte, le pida en mi nombre favorezca al Cid y le reciba por vasallo suyo

El conde don García le besó la mano y le dijo al rey que así lo haría. El rey entonces les dijo a todos:

—Espero que roguéis a mi hermano don Alfonso que me perdone el daño que le he hecho y que pidáis a Dios que se apiade de mí.

Dicho esto, pidió candela y entregó su alma a Dios. Todos sus vasallos le hicieron el duelo que debían. Una parte de los ricoshombres que había en la hueste, junto con los obispos, llevaron el cuerpo del rey don Sancho al monasterio de Oña, donde le enterraron con mucha pompa y solemnidad. Otros ricoshombres se quedaron en el real, al mando de la hueste.

Después que fue enterrado el rey don Sancho, se volvieron a la hueste los ricoshombres y los prelados que acompañaron sus restos mortales. Entonces resolvieron los castellanos desafiar a los de Zamora por haber matado traidoramente a su rey y señor. Estando reunidos, se levantó el conde don García de Cabra y habló de este modo:

—Ya veis, amigos, cómo ha sido muerto nuestro rey don Sancho por el traidor de Vellido Adolfo, que era su vasallo, y que después se ha metido en Zamora, donde ha sido amparado, lo que demuestra que la traición fue hecha de acuerdo con los zamoranos. Si alguno de vosotros quiere ir a desafiarlos, todos los demás nos comprometeremos a proveerle de armas y caballos y de cuanto necesite para el desafio. Después que habló el conde, todos callaron. En vista de que nadie se decidía, se levantó don Diego Ordóñez y dijo así:

—Si todos os comprometéis a darme lo que ha dicho el conde García, yo iré a desafiar a los zamoranos por la muerte del rey don Sancho, nuestro señor.

Todos lo prometieron, alzando las manos. Don Diego se fue a su tienda, se armó muy bien, montó en su caballo y se fue a desafiar a los de Zamora. Cuando estuvo cerca de la ciudad, se cubrió con el escudo para que no le hiriesen con alguna flecha y empezó a llamar a grandes voces a don Arias Gonzalo. Un escudero que estaba entonces en lo alto de la muralla bajó de ella y fue en busca de éste, a quien dijo:

—Señor: un caballero castellano, muy bien armado, se ha acercado a los muros de la ciudad y os está llamando a grandes voces. Si queréis, le tiraré una flecha y mataré a él o a su caballo.

Don Arias Gonzalo subió a la muralla, acompañado de sus hijos, a ver qué quería aquel caballero, al que preguntó:

—Amigo: ¿qué buscáis?

Respondióle don Diego:

—Los castellanos hemos perdido a nuestro señor. Le ha matado el traidor de Vellido Adolfo, después de haberse hecho su vasallo. Vosotros lo tenéis dentro de Zamora. Por tanto digo que los que le amparan, si antes lo sabían o si no quisieron impedir su traición, también son traidores. Por ello desafío a todos los zamoranos, tanto a los mayores como a los niños, a los muertos como a los vivos, a los que están por nacer como a los nacidos; también desafío a las aguas que beben, a las telas que visten e incluso a las piedras de esta muralla.

Replicóle don Arias Gonzalo a don Diego Ordóñez:

—Si yo fuera traidor, como tú dices, más me valiera no haber nacido. Pero has mentido en lo que has dicho y te diré por qué. ¿Qué culpa tienen los niños de lo que hacen los mayores? ¿Y los muertos de lo que hacen los vivos? Excluye por tanto del desafío a los niños y a los muertos; excluye también las cosas, que no tienen alma; y a lo demás te contesto que mientes y lo sostendré con las armas en la mano o por medio de quien luche en defensa de Zamora. Piensa también que quien desafía a una ciudad ha de lidiar con cinco, uno después de otro. Si vence a los cinco, es verdad lo que afirma; pero si uno de ellos le vence, tiene que quedar por embustero.

Cuando Diego Ordóñez oyó lo de los cinco, se le hizo muy duro, pero lo supo disimular muy bien y contestó:

—Don Arias: nombrad vos a doce zamoranos, que yo nombraré a doce castellanos, y si juran todos sobre el Evangelio juzgar en derecho, yo lidiaré de la manera que ellos determinen.

Don Arias Gonzalo convino en ello. Luego resolvieron que hubiera una tregua de veintisiete días.

Mientras pasaban estas cosas, la infanta doña Urraca envió sus mensajeros a don Alfonso, que estaba en Toledo, diciéndole que se viniera lo antes posible, porque había muerto su hermano don Sancho. Encargó mucho a los mensajeros que no dijeran nada a los moros, ya que, si se enteraban, lo más probable era que aprisionasen a don Alfonso, a quien la infanta tanto quería. Pero unas gentes que actúan de espías de los moros entre los cristianos y de los cristianos entre los moros, que son los que llaman los enaciados [2], supieron la muerte del rey don Sancho y mandaron un mensajero que le llevara esta noticia al rey al-Ma'mún.

El conde don Pedro Ansúrez, que era muy prudente y que sabía el árabe, salía de Toledo todos los días a dar un paseo a caballo por el camino de Castilla, a ver si llegaban gentes que trajeran noticias de allí. Un día encontró a un hombre que le dijo traía la de la muerte del rey don Sancho. Don Pedro Ansúrez, cuando lo oyó, le apartó del camino, como si quisiera hablarle en secreto, y le degolló. Lo mismo hizo con otro que también traía esta noticia al rey al-Ma'mún. Vuelto al camino, encontró a los mensajeros de doña Urraca, que se lo contaron con más detalle. De regreso a Toledo, comenzó a preparar lo necesario para la partida de don Alfonso, quien dijo a al-Ma'mún que quería volver a tierra de cristianos para defender a ciertos vasallos suyos a quienes su hermano les hacía la guerra y que le agradecería mucho le diera algunos caballeros que le ayudasen. Respondióle al-Ma'mún que no debía irse, pues si se iba su hermano no tardaría mucho en cogerle y encarcelarle. Replicó don Alfonso que él conocía a su hermano muy bien y que no le temía si pudiera contar con algunos caballeros moros. Con este motivo el rey al-Ma'mún detenía a don Alfonso de un día para otro, sin dejarle partir, aunque don Alfonso se quejaba de ello y le reiteraba su deseo de irse siempre que podía. Una noche el rey moro, muy enojado de su porfía, le dijo:

—Vete ahora, que ya hablaremos más despacio de esto.

---

[2] Según Menéndez Pidal, los enaciados eran «hombres que hablaban la lengua de los moros y que servían a éstos de espías en las tierras de los cristianos y también, como prácticos en ella, guiaban las huestes en sus incursiones; prestaban otras veces iguales servicios a nuestra gente, y hacían a menudo el oficio de intermediarios o mensajeros entre los dos pueblos».

Cuando don Alfonso le oyó decir *Vete ahora,* entendió que tenía la licencia para irse que estaba pidiendo y que ya podía considerarse libre de la promesa que había hecho a al-Ma'mún de no irse sin ella. Con esta idea salió del alcázar y un poco obligado por sus caballeros, que no le dejaron tiempo para decidir si hacía bien o mal, llegó a la muralla, de donde le descolgaron con unas cuerdas. De este modo bajaron también los demás cristianos. Como don Pedro Ansúrez tenía siempre listos los caballos fuera de Toledo, para cuando don Alfonso los necesitara, cabalgaron en ellos y pronto estuvieron a mucha distancia de la ciudad.

Cuando el cristiano salió del alcázar, el rey al-Ma'mún preguntó a sus moros si sabían por qué quería irse. Ellos le dijeron que no lo sabían con seguridad, pero que quizás su hermano hubiera muerto y por eso se quisiera ir. Entonces al-Ma'mún resolvió prenderle al día siguiente y lograr de él tales seguridades que nunca pudiera hacerle daño. Al ir los moros por la mañana a coger a don Alfonso vieron que no estaba en su palacio y que se había ido.

Mientras doña Urraca avisaba a su hermano, don Arias Gonzalo salió un día de Zamora con todos sus hijos y otros muchos caballeros y fue al campamento de los cristianos, con quienes, como hemos dicho, habían hecho treguas. Juntos todos los ricoshombres y caballeros que había en la hueste, discutieron cómo tenía que hacerse el desafío. Al final acabaron por nombrar doce jueces los zamoranos y doce los otros, como había propuesto don Diego Ordóñez, para que decidiesen a qué se obligaba, según derecho, el que desafiaba a una ciudad. Después que hubieron deliberado los veinticuatro, se levantaron un castellano y otro de Zamora, de los más respetados y más entendidos en estas cuestiones, quienes dijeron que el que desafiaba a una ciudad que fuera sede de un obispo o de un arzobispo tenía que lidiar con cinco, uno después de otro, pudiendo cambiar a cada uno de caballo y de armas y tomar tres sopas mojadas en vino o, si lo prefería, con un poco de agua. Estando todos de acuerdo en esto, eligieron para el palenque un lugar llamado el campo de Santiago, orillas del Duero, en el arenal, no lejos de Zamora. Una vez trazados los límites del palenque, clavaron en medio una vara, diciendo que el que ganara la cogiera para poderse proclamar vencedor y dueño del campo. Fijaron la fecha para dentro de nueve días. Hechas o convenidas estas cosas, volvióse a Zamora don Arias

Gonzalo y le refirió todo a doña Urraca, quien reunió a los zamoranos, a quienes dijo don Arias:

—Amigos: os ruego que si alguno de vosotros fue cómplice de la muerte de don Sancho o la pudo evitar y no quiso, lo diga ahora, que yo prefiero irme con mis hijos a tierra de moros a ser vencido y quedar por traidor.

Entonces dijeron todos que no sabían nada de lo que había tramado Vellido Adolfo. Don Arias Gonzalo se alegró mucho al oír esto y les mandó volver a sus casas. Él también se fue a la suya con sus hijos, de los que eligió cuatro para que lidiasen con don Diego Ordóñez, reservándose él para lidiar el quinto, aunque luego dijo que prefería ser el primero, para, si resultaba verdad lo que el castellano había dicho, morir antes y no pasar por la vergüenza del vencimiento, y si resultaba mentira, vencerle él mismo y cubrir de gloria a todos sus hijos.

Cuando llegó el día señalado, que era el primer domingo de junio, don Arias Gonzalo armó muy temprano a sus hijos y éstos le armaron. Al saber que don Diego Ordóñez estaba también preparado para entrar en el campo, montaron todos. Ya estaban a punto de salir de su casa cuando llegó la infanta doña Urraca con muchas damas y dijo llorando a don Arias Gonzalo:

—Acordaos, señor, de cómo mi padre don Fernando me dejó encomendada a vos y vos le jurasteis no desampararme. Ahora queréis hacerlo e iros a lidiar. Os ruego que os quedéis, que no faltará quien os sustituya.

Don Arias se quitó las armas. Aunque vinieron muchos caballeros a pedírselas para lidiar por él, no quiso darlas más que a su hijo Pedrarias, que era muy valiente, a pesar de ser casi un niño y que le había rogado con mucha insistencia que le dejara sustituirle. Don Arias Gonzalo le armó por su mano, le dio muchos consejos y le santiguó, diciéndole que fuera a salvar a Zamora, como Nuestro Señor Jesucristo vino al mundo a salvarlo. Pedrarias se fue para el campo, donde le esperaba don Diego Ordóñez, muy bien armado. Acercáronse los jueces y les enseñaron la raya que marcaba el límite del palenque, del que de ningún modo debían salir. También les encargaron que el que ganara cogiese la vara que estaba clavada en medio del campo y se proclamase vencedor. Después que estuvieron dentro del palenque se salieron los jueces de él. Los dos

campeones volvieron riendas a los caballos y se fueron el uno contra
el otro; cinco veces se arremetieron con mucho ímpetu; a la sexta
se les rompieron a los dos las lanzas y echaron mano a las espadas,
con las que se dieron tan fuertes golpes que se abollaron los yelmos.
Así lucharon hasta mediodía. Cuando don Diego vio que no podía
vencer a Pedrarias, pensó que luchaba por vengar a su señor, que
había sido muerto a traición, y esforzándose con esta consideración
levantó su espada y le dio tal golpe que le partió el yelmo y la
cabeza. Pedrarias, desconcertado por el dolor y ciego por la sangre
que le corría por los ojos, se tuvo que abrazar al cuello del caballo,
aunque sin perder los estribos ni soltar la espada. Don Diego Ordóñez, cuando le vio así, creyó que le había muerto y no le quiso dar
más golpes, sino que dijo a grandes voces:

—¡Don Arias Gonzalo: mandadme otro hijo, pues he dado
cuenta ya del primero!

Pedrarias, al oír esto, aunque estaba herido de muerte, se lim-
pió con la manga de la loriga la sangre que le cubría la cara y los
ojos y, enderezándose en la silla, cogió su espada con ambas manos
y se fue contra don Diego. Queriéndole dar en la cabeza, erró el
golpe y le dio al caballo, al que cortó riendas y narices. El caballo
echó a correr al sentirse herido. Don Diego Ordóñez, no teniendo
con qué detenerle, al ver que le iba a sacar del palenque se dejó caer
para quedarse dentro. Pedrarias mientras tanto cayó muerto fuera.
Don Diego Ordóñez se levantó, se fue a la vara, la cogió y dijo:

—¡Vencido he a uno, loado sea Dios!

Los jueces vinieron entonces y le llevaron al campamento de los
castellanos, donde le desarmaron, le dieron tres sopas mojadas en
vino y le dejaron descansar un poco. Después le armaron con nuevas
armas, le hicieron montar en otro caballo y le volvieron a llevar
al palenque.

Hecho esto salió Diego Arias, otro de los hijos de don Arias
Gonzalo, muy bien armado y en un buen caballo. Su padre y hermanos le acompañaron hasta el palenque. Los jueces cogieron a
los dos por las riendas, los metieron en el palenque y se salieron
fuera. Don Diego Ordóñez y Diego Arias se fueron uno contra
el otro y se dieron tales golpes con las lanzas que del primer
choque se atravesaron los escudos; después volvieron a atacarse y se
les quebraron las lanzas; puestas las manos a las espadas, que las

tenían buenas y tajadoras, se hirieron con tanta saña que se partieron los yelmos y se cortaron las mangas de las lorigas. Cuando esto vio el castellano se esforzó cuanto pudo y le dio tal golpe en el hombro a Diego Arias que le llegó hasta la cintura, con lo que cayó muerto en tierra. Diego Ordóñez se fue a la vara, la cogió y dijo:

—¡Don Arias Gonzalo: mandadme otro hijo, que, loado sea Dios, ya he vencido a dos!

Entonces vinieron los jueces, y, tomando de la mano a don Diego Ordóñez, le dijeron que para poder considerarse vencedor tenía que coger el cadáver de Diego Arias, armado como estaba, y sacarlo del palenque, teniendo cuidado de no poner él los pies fuera. Don Diego Ordóñez se bajó del caballo, cogió al muerto por los pies y tirando de él lo llevó a la raya; allí se echó en tierra y lo fue empujando hasta que lo puso fuera del palenque. Entonces fue a coger de nuevo la vara y dijo que prefería lidiar con un vivo a tener que sacar a un muerto del campo. Volviendo los jueces, sacaron del palenque al vencedor y otra vez le llevaron al campamento, donde le volvieron a desarmar y donde descansó un rato, tomó las tres sopas, cogió otras armas y montó otro caballo para lidiar con el tercero.

Don Arias Gonzalo, muy afligido por la muerte de sus dos hijos, llamó al mayor, cuyo nombre era Rodrigo Arias y que por ser muy esforzado había salido bien de todos los torneos en que participara. Díjole su padre:

—Hijo: os ruego que vayáis a lidiar con don Diego Ordóñez para limpiar la mancha que él ha echado sobre Zamora, la infanta doña Urraca y todos nosotros. Si lo hacéis, bien podréis decir que nacisteis en buena hora.

Contestóle el hijo:

—Padre: mucho os agradezco lo que me habéis dicho. Estad seguro de que moriré o salvaré a Zamora.

Entonces se armó, ayudado por don Arias, montó a caballo y se fue al palenque. Los jueces los cogieron de las riendas a él y a don Diego Ordóñez, los metieron en el palenque y se salieron fuera. En seguida se atacaron; aunque don Diego erró el golpe, no lo erró Rodrigo Arias, quien con su lanza atravesó el escudo de su adversario, le destrozó el arzón delantero y le hizo perder los estribos y abrazarse al cuello de su caballo. Muy maltrecho don Diego, se

esforzó cuanto pudo, y, lanzándose contra Rodrigo Arias, le dio tal
golpe que le atravesó también el escudo y le metió un pedazo de
lanza en el cuerpo. Echando los dos mano a las espadas, comenzaron
a atacarse con nuevos bríos. Rodrigo Arias le hizo a don Diego una
herida tan grande que, cortándole el brazo izquierdo, le llegó hasta
el hueso. Don Diego Ordóñez, al sentirse· tan mal herido, se fue a
Rodrigo Arias y le dio tal golpe en la cabeza que le rompió el yelmo
y le abrió el almófar [3]. Viéndose herido de muerte, Rodrigo Arias
soltó las riendas y, cogiendo su espada con ambas manos le partió la
cabeza al caballo del otro. El caballo, loco de·dolor, empezó a llevar
a don Diego Ordóñez de aquí para allí y acabó sacándole, mal de su
grado, del palenque, fuera del cual murió el noble bruto. Rodrigo
Arias, llevado también por su caballo, cayó muerto en tierra. Don
Diego Ordóñez quiso volver entonces al palenque y seguir lidiando
con los que faltaban; pero los jueces no lo permitieron por haber
salido fuera del palenque. Tampoco pudieron proclamar vencedor
a don Diego Ordóñez ni a Rodrigo Arias ni declarar si los zamoranos quedaban o no tachados de traidores por el asesinato del rey
don Sancho. Por tal motivo quedó este pleito sin sentenciar.

Cuando el rey don Alfonso llegó a Zamora puso sus tiendas en
el mismo campo de Santiago, donde se había celebrado el duelo.
En seguida fue a ver y a aconsejarse con su hermana la infanta
doña Urraca, que era, como hemos dicho, muy inteligente. En seguida mandó cartas por los tres reinos para que fueran todos a
Zamora a rendirle homenaje y a recibirle por señor. Cuando los leoneses, los asturianos y los gallegos supieron que don Alfonso había
ya vuelto de tierra de moros, se alegraron mucho y fueron a Zamora, donde le reconocieron por rey y señor. Después llegaron los
castellanos, quienes le dijeron que también le reconocerían con tal
que jurase que no había sido cómplice de la muerte del rey don
Sancho. Al final, sin embargo, ninguno de ellos se atrevió a tomarle
juramento y todos le besaron la mano, menos el Cid, que no quiso
hacerlo. Cuando vio don Alfonso que el Cid no hacía lo que habían
hecho todos los demás, les dijo:

---

[3] El almófar era una especie de capucha de mallas, sobre la que se
ponía el capacete o yelmo.

—Amigos, pues todos vosotros me habéis recibido por señor y me habéis entregado ciudades y castillos, querría me dijeseis por qué el Cid Ruy Díaz, aquí presente, no ha querido hacerlo. Yo quisiera hacerle alguna merced, según prometí a mi padre, que le dejó encomendado a mí y a mis hermanos, pero no puedo hacérsela mientras él no se declare vasallo mío.

Al oír esto se levantó el Cid y contestó:

—Señor: todos los que están aquí, aunque ninguno se atreva a decíroslo, sospechan que fuisteis cómplice de la muerte del rey don Sancho, nuestro señor; por eso yo no os besaré la mano hasta que no os hayáis librado de esa sospecha con un juramento.

Replicó don Alfonso:

—Cid: mucho me agrada la franqueza con que habéis hablado. Yo estoy dispuesto a jurar por Dios y la Virgen María que ni lo ordené ni lo aconsejé ni me alegré cuando lo supe, a pesar de que él me había echado de mi tierra y quitado mi reino. Por tanto, os ruego a todos vosotros que, como vasallos, me aconsejéis dónde y cómo debo prestar ese juramento.

Dijéronle entonces todos que jurase en Burgos, en la iglesia de Santa Gadea, con doce de sus caballeros, y que de esta manera quedaría libre de toda sospecha. Al rey le pareció muy bien y, montando a caballo, se fueron a Burgos. Cuando estuvieron en Santa Gadea cogió el Cid el libro de los Evangelios, lo abrió sobre el altar, hizo que don Alfonso pusiera en él sus manos y le tomó juramento del siguiente modo:

—Rey don Alfonso: ¿venís a jurar que no fuisteis cómplice de la muerte del rey don Sancho, nuestro señor?

Contestó el rey:

—Sí vengo.

Díjole el Cid:

—Pues si juráis en falso, plega a Dios que os mate un traidor, que sea vuestro vasallo, como lo era Vellido Adolfo del rey don Sancho.

Mudósele al rey el color y respondió:

—Amén.

Comenzó de nuevo el Cid, preguntándole:

—Rey don Alfonso: ¿venís a jurar que ni ordenasteis ni aconsejasteis la muerte del rey don Sancho, vuestro hermano?

Volvió don Alfonso a contestar:

—Sí vengo.

—Si juráis en falso —replicóle el Cid—, que os mate a traición un vasallo vuestro, como Vellido Adolfo al rey don Sancho.

Respondió don Alfonso otra vez:

—Amén.

Y se le mudó de nuevo el color. Por tercera vez le hizo jurar el Cid. Cada vez que juraba el rey lo hacían también los doce caballeros que le acompañaban. Acabada la jura, don Rodrigo Díaz quiso besarle la mano al rey, pero éste no quiso y le aborreció de allí en adelante, de modo que, aunque el Cid fue muy valiente, estuvo varias veces desavenido con el rey don Alfonso, que acabó desterrándole. Al final, sin embargo, se hicieron amigos.

LA MORA ZAIDA

Eₙ tiempos del rey don Alfonso [1], que tomó Toledo, reinaba en Sevilla un moro llamado al-Mu'tamid [2], el cual era hombre muy estimable y muy poderoso. Se extendía su reino al norte de Sierra Morena, hasta tierras de Cuenca, Ocaña, Uclés y Consuegra. Tenía el rey moro una hija doncella de gran hermosura y muy virtuosa, a quien amaba mucho. Esperando que si la dotaba bien podría ella lograr mejor marido, le dio Cuenca y las demás tierras que hemos mencionado. A todo esto, el rey don Alfonso, que estaba viudo de su quinta mujer y que siempre fue muy esforzado y muy venturoso en todas sus empresas, no cesaba, a pesar de haber tomado Toledo, de guerrear con moros y cristianos, lo que redundaba en mayor fama

---

[1] Sucedió a su padre como rey de León en 1065. Fue desposeído por su hermano el rey de Castilla don Sancho II el 1072; al morir éste pocos meses después fue reconocido en todas las tierras en las que había reinado su padre. Se anexionó en 1076 la Rioja y las tierras navarras que anteriormente fueran castellanas. Tomó Toledo en 1085 e impuso tributos cada vez más pesados a los reyes moros, pero, habiendo llamado éstos en su auxilio a los almorávides, Alfonso VI, que usaba el título de emperador, fue derrotado en Sagrajas (1086) y Uclés (1108), donde perdió la vida el infante don Sancho, hijo de Alfonso VI y de la mora Zaida, que había nacido hacia el año 1100.

[2] El rey de Sevilla Muhammad ben Abbad al-Mu'tamid sucedió a su padre, al-Mu'tadid, el 1069, extendió su reino por el sur de España, solicitó en 1086, junto con los reyes de Badajoz y Granada, el auxilio de los almorávides y fue destronado al apoderarse éstos de Sevilla en 1091. Murió en Marruecos cuatro años después. Fue excelente poeta y gran protector de las ciencias y artes.

suya, fama que llegó a doña Zaida, la princesa mora [3], quien oyó
decir tantas veces que don Alfonso era un caballero apuesto y gallardo y muy ducho en el manejo de todas las armas, que se enamoró
de él. No se enamoró por haberlo visto, pues nunca le viera, sino de
oídas, por su buena fama, que constantemente iba en aumento. Estando ella muy enamorada, como las mujeres saben siempre inge-
niarse para conseguir aquello que desean y supiese que don Alfonso
estaba guerreando por tierras de Toledo, no muy lejos de las suyas,
le rogó que viniese a verla, diciéndole que, a fuerza de oír hablar
de su apostura y de su valor, se le había aficionado y no veía la
hora de conocerle. También le mandó la lista de las ciudades, villas
y lugares que su padre le había dado, diciéndole que si se casaban
sería señor de ellos. El rey don Alfonso, al recibir este mensaje, se
alegró mucho y contestó a la mora que fuese al sitio donde pre-
firiera esperarle, que allí iría él. Unos dicen que la mora le esperó
en Consuegra, que estaba en sus tierras, cerca de Toledo; otros
que en Ocaña, que también era suya; algunos aseguran que la entrevista se celebró en Cuenca. El hecho es que el rey don Alfonso, habiendo reunido a muchos caballeros para cautelarse de engaño o
traición, se fue con ellos a ver a la mora. Si grande era el amor que
ella le tenía, no fue menor el que le tuvo el rey don Alfonso cuando
vio que era tan hermosa, gallarda y discreta como le habían dicho.
Díjole el rey que si quería casarse con él se tenía que hacer cristiana. Respondióle la mora que estaba dispuesta y que le daría Cuenca
y todo lo demás que formaba su dote y haría todo aquello que él
le mandase con tal de tenerle por marido. Don Alfonso, viendo que
acababa de tomar Toledo y que con las tierras de Zaida quedaba
su conquista más redondeada y Toledo mejor defendido, celebró consejo con sus condes y sus ricoshombres, la hizo cristiana y se casó
con ella, incorporando a su reino todas las ciudades, villas y lugares

---

[3]   Como se ha dicho en el prólogo, la Zaida histórica, que al bautizarse
se llamó Isabel, era nuera y no hija del rey de Sevilla. Casada con Fath
al-Ma'mún, a quien su padre había confiado la defensa de Córdoba contra
los almorávides, al verse la ciudad en situación difícil fue enviada a Al-
modóvar. Muerto su marido y caída Córdoba en poder de los almorávides,
la princesa, quizás instigada por su suegro, huyó en busca de la protección
de Alfonso VI, de quien fue concubina. Por esta época el rey de Sevilla
entregó al cristiano las plazas de Cuenca, Uclés, Ocaña y Consuegra, a
cambio de una ayuda que fue ineficaz.

que su padre le diera. De ella tuvo un hijo, que se llamó don Sancho Alfonso y que dio a criar al conde don García de Cabra.

Después de esto, atendiendo el rey don Alfonso al deudo que tenía con al-Mu'tamid, rey de Sevilla y padre de su mujer doña María la Zaida, tuvo con él muy estrecha amistad. Viendo que ellos dos eran los más poderosos reyes de España, pero que también había otros poderosos, como el de Zaragoza y el de Tortosa, resolvió don Alfonso, aconsejado por su suegro, hacer venir de África a los almorávides, que eran todos nobles y los mejores guerreros que había entre los moros, para tener a los demás sujetos y que no se atrevieran a negarle vasallaje o tributo. Dicen que por entonces habían surgido los almorávides y que nunca en Marruecos ningún señor había tenido tantos ni tan buenos caballeros como el rey de ellos, llamado Yusuf ben Tachufin, al que por más respeto llamaban en árabe Miramamolín, que quiere decir señor de señores [4]. A este Yusuf pidió don Alfonso que mandase a España a los almorávides. Yusuf envió a uno de sus generales, llamado Alí. Llegados, pues, a España a requerimiento de don Alfonso, que esperaba señorear con ellos a los demás moros, los almorávides, viendo su número y ventaja en las armas, resolvieron obrar por su cuenta, proclamando rey a Alí, quien, olvidado de su señor, que estaba en Marruecos y le había puesto al frente de aquellas tropas, se hizo llamar Miramamolín, lo mismo que él. Puestos de acuerdo los almorávides con los moros de España, se negaron éstos a pagar al rey don Alfonso los tributos que acostumbraban y fueron a atacarle junto con aquéllos. Salió a su encuentro el rey de Sevilla, suegro de don Alfonso, para detenerlos, pero como no fue tan bien preparado como debiera, murió en la batalla. Combatíanle los moros por haber casado a su hija con un cristiano y hasta creían, al ver la amistad que tenía con Alfonso, que en secreto él también era cristiano.

Cuando supo esto el rey don Alfonso, que nunca descansó ni quiso entregarse a los placeres, reunió todas las gentes que pudo y marchando contra los moros se fue a cercar Córdoba, donde se encontraba el Miramamolín. Éste, al enterarse de que don Alfonso venía contra él con tan gran ejército, no se atrevió a combatir, sino

---

[4] Realmente Miramamolín, que es la forma castellanizada de 'amir'l-muminin, significa «príncipe de los creyentes».

que le dijo que quería la paz y que estaba dispuesto a pagarle tributo por toda la tierra que tenía en España. Teniendo el rey don Alfonso sitiada Córdoba, un noble moro, llamado Abd Allah, atacó de noche su campamento. Los cristianos tomaron las armas para defenderse y cogieron a Abd Allah, matando a la mayor parte de su gente. Este Abd Allah era el que había muerto en la batalla al rey al-Mu'tamid, suegro de don Alfonso.

Al día siguiente mandó éste traer a su presencia a Abd Allah y ordenó que le hicieran pedazos por haber matado al rey de Sevilla, padre de su mujer doña María la Zaida, en un lugar desde donde pudiera ser bien visto por los moros de Córdoba. Hecho esto, hizo juntar sus pedazos y trayendo a otros nobles moros que también habían sido cogidos, los quemó con ellos. Los moros, al ver esto, se asustaron mucho y resolvieron ultimar las paces que le había propuesto el Miramamolín. Firmadas las paces, le dieron a don Alfonso oro, mucha plata, muchas piedras preciosas, muchos paños de seda y otras muchas riquezas. Muy satisfecho el rey don Alfonso del resultado de la campaña y viendo derrotado y hecho vasallo suyo al Miramamolín, que tanto daño le había hecho, se volvió a su tierra con mucha gloria, dejando a los moros, como otras veces, muy escarmentados. El Miramamolín se fue a Marruecos y mientras vivió don Alfonso nunca más se atrevió a venir a España.

LA PEREGRINACIÓN DEL REY LUIS DE FRANCIA[1]

QUERIENDO gente muy mala meter cizaña entre el emperador don Alfonso VII [2] y el rey Luis de Francia, que era su yerno, dijeron a éste, muy en secreto, que su mujer, la reina Isabel, no era hija legítima, sino tenida por el emperador en una barragana, que ni siquiera era de sangre noble, sino de muy baja condición. Añadían que el mismo emperador era hombre tan ruin que la emperatriz le negaba el débito conyugal. Tanto se lo repitieron que el rey de Francia, temiendo que fuese cierto, empezó a preocuparse. Para averiguarlo anunció que quería venir a España en peregrinación. Diciendo que iba a Santiago de Compostela, se vistió de romero y tomó el camino que siguen todos los peregrinos que van allí.

Enterado el emperador don Alfonso VII de que el rey de Francia venía a Santiago, llamó a todos sus caballeros y ricoshombres y les mandó que se prepararan para ir con él a recibirle, como tenían el deber de hacer. Bien provistos de ricos trajes y de buenas mulas

---

[1] Luis VII de Francia (1137-1180) casó en el año 1153 con una hija del emperador don Alfonso VII (1126-1157), llamada Constanza y no Isabel, como dice el poema. Al año siguiente vino efectivamente en peregrinación a Santiago de Compostela.

[2] Don Alfonso VII, a quien su abuelo don Alfonso VI había dejado el reino de Galicia al morir en 1109, sucedió a su madre doña Urraca en Castilla y León en 1126, se coronó emperador en 1135, tomó el 1147 la ciudad de Almería y murió en 1157, dejando al primogénito Sancho III el reino de Castilla y a Fernando II, su hijo segundo, el reino de León. Tuvo como vasallos a los reyes de Portugal y de Navarra, al conde de Barcelona y a varios señores del sur de Francia.

y caballos, se reunieron en Burgos, de donde salieron con gran lucimiento al encuentro del rey, cada uno de ellos con sus acémilas cargadas de lo necesario.

Cuando el rey de Francia vio el recibimiento que le hacía su suegro el emperador y cuántos caballeros de ilustre sangre venían con él, unos montados en briosos caballos, otros en gruesas mulas, y los muchos mancebos que le daban escolta muy bien armados, y el lujo de todos, dicen quedó tan maravillado que no sabía qué mirar primero. Puesto el rey de Francia entre el emperador, sus hijos don Sancho, rey de Castilla, y don Fernando, rey de León, ambos hermanos de la reina Isabel, el rey de Navarra, que estaba allí, y el primado de España, entraron en Burgos, seguidos de los demás prelados y de muchos condes y ricoshombres que acompañaban a Alfonso VII.

Después de haber el rey de Francia descansado un poco fue a visitar a su suegra la emperatriz doña Berenguela. Si muy admirado se había quedado del número y gala de los prelados y caballeros que acompañaban al emperador, no lo fue menos al ver a las damas que rodeaban a la emperatriz; unas eran reinas, otras infantas, otras condesas, otras ricashembras, otras hijas o esposas de caballeros. Tantas había que sería largo de referir. Tan bien ataviadas estaban todas que las criadas parecían señoras. Entonces comprendió el rey de Francia que aquellos malvados que le habían dicho que su mujer la reina Isabel no era hija del emperador y de la emperatriz habían mentido y que no lo habían hecho sino por ganarse su confianza y que no les negara lo que le pidiesen. Desde aquel día tuvo a su mujer en mucho más que la había tenido. Lo mismo hizo todo su reino.

Todo el tiempo que el rey de Francia permaneció en Burgos, él y sus gentes fueron proveídos de todo lo necesario por Alfonso VII. Todos los manjares que sabían preparar los sirvientes del rey o del emperador eran guisados cotidianamente en gran abundancia. También les hicieron ver a los franceses alanzar tablados, justar, rejonear y jugar a las tablas y a otros muchos juegos, y escuchar todos los instrumentos que había por entonces en España o que pudieron venir de Francia. No hubo solaz de que no disfrutaran.

Cuando el rey de Francia dijo que quería seguir la peregrinación que había comenzado, el emperador con sus dos hijos, don Sancho y don Fernando, y el rey de Navarra ³, le acompañaron hasta Santiago, honrándole mucho y proveyéndole en el camino de lo necesario. A la entrada en Santiago, durante los días que estuvo allí y aun en las vigilias que como peregrino tuvo que hacer, el rey de Francia siguió recibiendo muchas atenciones del emperador, de sus hijos y del rey de Navarra. Todos rivalizaban en agasajarle, ya que, aunque el emperador hasta el fin de su vida era quien mandaba como supremo señor, sus hijos, Sancho y Fernando, también tuvieron, desde el día en que dividió sus reinos, autoridad, disponiendo de sus propios recursos, pues el poder era de los tres.

Acabadas sus vigilias y oraciones el rey de Francia quiso volverse a su tierra, despidiéndose del emperador, de sus dos hijos, del rey de Navarra, del arzobispo de Toledo y de los demás prelados y señores que por atención hacia Alfonso VII le habían acompañado hasta Santiago, honrándole en todo el camino y quedándose con él allí. Entonces el emperador y sus dos hijos le rogaron con tanta insistencia que fuese con ellos hasta Toledo que no pudo por menos de acceder. Así le llevaron de Santiago a Toledo del mismo modo que le habían traído a Santiago, yéndose con ellos el rey de Navarra. Al llegar a Toledo el emperador reunió muy lucidas cortes, a las que vinieron los moros que eran vasallos suyos. También asistió a ellas don Ramón Berenguer ⁴, conde de Barcelona. Cuando el rey de Francia vio reunida tanta gente ilustre y celebrarse las cortes con tanta pompa y solemnidad, juró delante de todos que nunca había visto nada parecido y que no creía que pudiera verse en todo el mundo. Entonces el emperador don Alfonso VII, comprendiendo que era el momento de revelar a su yerno por qué había hecho esto,

---

³ Se trata de don Sancho III el Deseado (1157-1158), rey de Castilla en vida de su padre, y de su hermano el rey de León don Fernando II (1157-1188). El rey de Navarra, a quien no se nombra, es don Sancho VI (1150-1194).

⁴ Ramón Berenguer IV el Santo heredó de su padre, Ramón Berenguer III el Grande, el condado de Barcelona en 1131. En 1137 se desposó con doña Petronila, heredera del rey de Aragón don Ramiro II (1134-1137), quien le transmitió en seguida la corona, aunque nunca quiso don Ramón Berenguer titularse rey, sino solo príncipe de Aragón. Tomó Tortosa (1148), Lérida y Fraga (1149) y murió en el año 1162. Fue, como el rey de Navarra que hemos mencionado, vasallo del emperador don Alfonso VII.

le dijo, señalando al conde de Barcelona que, como ya sabéis, estaba allí con muchos de sus vasallos:

—Sabed que de la emperatriz doña Berenguela, hermana de este conde de Barcelona que veis aquí, tuve yo a mi hija doña Isabel, que os di por mujer.

Añadió entonces don Ramón Berenguer:

—Mucho la consideraréis, que es sobrina mía; si no lo hacéis yo os aseguro que con la ayuda de mi señor don Alfonso VII, que está aquí presente, os desafiaré en París, en el Puente Pequeño, a singular combate.

Alzando las manos al cielo contestó el rey de Francia del siguiente modo:

—Bendito sea Dios, que me ha concedido tener por mujer a la hija de tan gran monarca como don Alfonso, emperador de las Españas, y de la hermana de tan famoso príncipe como lo es el conde de Barcelona don Ramón Berenguer.

Dichas estas palabras ante toda la corte, se calló el rey. Después de esto el emperador regaló al rey de Francia muchas mulas y caballos y muchos aljófares, piedras preciosas y paños ricos de obra morisca, que, aunque valían mucho por la cantidad, valían aun más por la calidad de sus labores. El rey de Francia no quiso tomar nada de esto; solo aceptó un rubí que dio luego al monasterio de San Dionisio para el relicario de la corona de espinas de Nuestro Señor. Al despedirse del emperador el rey de Francia tornó a decir que estaba muy honrado por haberse casado con doña Isabel, hija suya y de la emperatriz doña Berenguela, y que, mientras viviera, siempre le tendría la consideración debida a una princesa de tan alta sangre. Al final se volvió muy contento el rey de Francia a su propio país. Desde entonces quiso a su mujer más que antes y la tuvo en mucho mientras vivió. Al morir ella la mandó enterrar en el monasterio de S. Dionisio, donde están las tumbas de los reyes. Murió doña Isabel en opinión de santa, pues amó mucho a Dios y estuvo adornada de muchas virtudes.

HISTORIA DE MAINETE

Pepino, rey de Francia [1], tuvo dos hijos: uno llamado de nombre Carlos y de sobrenombre Mainete, y el otro Carlón. Disgustado Carlos con su padre por haber éste revocado algunas sentencias suyas y queriendo causarle pesar, se vino a Toledo para entrar al servicio de su rey Galafre. Al llegar cerca de Toledo envió un mensajero al rey, preguntándole dónde quería que se aposentaran él y los suyos. Cuando Galiana, la hija de Galafre, oyó decir que venía Mainete, salió a recibirle con muchas doncellas. Algunos dicen que Carlos se venía a Toledo por estar ya enamorado de ella.

Al encontrarse la infanta mora con el escuadrón de Mainete, todos se inclinaron para saludarla, menos el infante, a quien no conocía. Ella, cuando vio esto, se molestó mucho, y llamando al conde don Morante, que venía con él y a quien sí conocía, le dijo:

—Don Morante: ¿quién es ese caballero o escudero que no se me ha querido inclinar? Os aseguro que, si quiere quedarse en Toledo, no le faltarán motivos para arrepentirse de lo que ha hecho.

Respondióle el conde:

—Ese escudero es hombre de muy alto linaje. Desde su niñez solo se ha inclinado ante la Virgen María. Os digo también que, si

---

[1] Pepino sucedió a su padre, Carlos Martel, como mayordomo de palacio del último de los reyes merovingios el 741. El 752 fue coronado rey por el papa Esteban II en la abadía de San Dionisio. Su hijo Carlos, llamado Carlomagno, le sucedió, correinando al principio con un hermano, el 768. Tres años después reinaba ya solo. En la Nochebuena del 800 fue coronado emperador por el papa S. León III. Murió el año 814. Ya se ha hecho notar en el prólogo el carácter mítico y fabuloso de este relato.

alguien en Toledo os ha causado enojo, nadie podrá castigarle mejor que él.

Diciendo esto, llegaron a Toledo. El rey Galafre salió entonces al encuentro de ellos, los recibió con mucha cortesía, los alojó muy bien y le señaló a cada uno muy buena soldada.

Por aquel entonces Galafre estaba en guerra con un moro muy poderoso, llamado Bramante. No habían aún pasado los franceses en Toledo siete semanas cuando vino Bramante con un poderoso ejército a cercar la ciudad, deseando quitarle Galiana a su padre y casarse con ella. Galafre, al saber que había puesto sus tiendas en Valsamorial, envió contra él a sus moros y a los franceses. Carlos aquel día se quedó durmiendo en Toledo. Grande y sangrienta fue la batalla. Con tanto ímpetu atacaron los franceses que al principio vencieron a las gentes de Bramante; pero luego éstos se rehicieron y contraatacaron tan bravamente que los franceses fueron derrotados. Al ver esto el conde don Morante se disgustó mucho y comenzó a animarlos, diciendo:

—No temáis, amigos. ¿No sabéis que dice la Escritura que cuando Dios quiere pueden los pocos vencer a los muchos?

Ellos entonces se animaron y, volviendo de nuevo a atacar a los moros, los vencieron. De esta manera estuvieron luchando casi todo el día, llevando la mejor parte unas veces unos y otras veces otros.

Estando los franceses en esta aflicción y a punto de darse por definitivamente vencidos, despertó el infante Mainete, y al no ver en el palacio donde moraba a ninguno de los suyos, se asombró mucho y sospechó que sus vasallos le hubieran traicionado y vendido, por lo cual comenzó a lamentarse y a maldecirse a sí mismo, al padre que le había engendrado y a la madre que le había parido. Galiana, que estaba en lo alto del adarve [2], cuando le oyó dar estas voces y decir estas cosas, se alegró mucho, viendo que tenía ocasión de hacérsele grata, explicándole lo sucedido. Bajando del adarve, se vistió y adornó lo mejor que pudo y se fue al palacio donde él estaba. Mainete, al verla entrar, no quiso levantarse para recibirla. Galiana, molesta por esto, le dijo:

---

[2] El adarve es el camino que corre por dentro en la parte alta de una muralla.

—Don Mainete: si yo supiera dónde se cobra soldada por dormir, os aseguro que, aunque soy mujer, me iría allí. Me parece que no debéis de tener muchas ganas de ayudar a los vuestros, que están pasándolo muy mal en Valsamorial, peleando con Bramante. Si mi padre sabe que no habéis ido, no os querrá seguir dando soldada.

Replicóle el infante:

—Si yo, señora, encontrase un caballo y unas armas, muy pronto estaría al lado de ellos.

Contestó Galiana:

—Infante: bien sé yo de qué linaje sois y que vuestro padre es Pepino, rey de Francia, y vuestra madre Berta, su mujer legítima. Si me prometéis llevarme a Francia, hacerme cristiana y casaros conmigo, yo os daré caballo y armas; también os daré una espada, llamada Joyosa, que me regaló Bramante.

Respondió el infante:

—Galiana: ya veo que, aunque bien sabe Dios que me pesa, no tengo más remedio que hacer lo que vos queréis. Por tanto os prometo que si me dais lo que habéis dicho os llevaré a Francia y seréis mi mujer.

Galiana, al oírlo, se alegró mucho y no dudó que cumpliría su palabra, pues había ya visto en las estrellas que esto sería así. Entonces le trajo las armas y ella misma le ayudó a armar. Una vez armado, montó en un caballo que ella le dio, llamado Blanchete, que era también regalo de Bramante, y se fue muy de prisa a ayudar a su gente.

Al llegar al sitio de la batalla encontró a un ricohombre, llamado Ainarte, que era primo suyo, muy mal herido. Al verle así bajó del caballo, lleno de tristeza, y le dijo llorando:

—Amigo Ainarte: yo os prometo, si Dios me ayuda, vengaros hoy del que os haya herido.

Dicho esto, cabalgó de nuevo y gritando ¡Santiago! atacó a los moros. Dicen que mató del primer empuje a doce de los mejores caballeros que tenía Bramante y a muchos otros que no eran tan buenos. A todo esto estaba Bramante sentado en su tienda. Un caballero llegó y le dijo:

—¿Sabéis, don Bramante, que un caballero que ha llegado por el lado de Oriente ha matado ya a tantos de los nuestros que se pierde la cuenta?

Bramante, al oír esto, se armó muy de prisa, montó a caballo y se fue para allá, donde no tardó en dar con el infante. Al verle montar el caballo que él le había regalado a Galiana, se enojó mucho y lleno de ira atacó a Mainete. El infante, que estaba apercibido, le atacó también. Con tanta fuerza lo hicieron los dos que se les rompieron las lanzas. Entonces echaron mano a las espadas, con las que se dieron tan bravos golpes que quedó bien probada la resistencia del uno y del otro. Bramante, al ver la gallardía del infante y su habilidad en el manejo de las armas, le preguntó quién era. Mainete se lo dijo. El moro, al saberlo, le cogió más miedo que antes, pero comenzó a amenazarle, diciendo que ya no volvería a su tierra. Replicóle el infante:

—Eso Dios lo dirá.

Bramante echó mano a su espada, cuyo nombre era Durandarte, y le dio un golpe tan grande en la cabeza que le partió el yelmo y el almófar y le cortó una parte de sus cabellos junto con la cofia; pero no quiso Dios que llegara a la carne. Muy alarmado Mainete entonces llamó en su auxilio a la Virgen María y, alzando la Joyosa, le dio con ella tal golpe a Bramante que le cortó el brazo derecho, que cayó a tierra junto con su espada. El moro, al verse tan mal herido, comenzó a huir. Mainete se bajó del caballo a coger la espada, volvió a montar y se fue tras él con las dos espadas en las manos, matando a todos los de Bramante con que tropezaba. Viendo que era mejor la espada que él traía que la que le había quitado al gigante, al alcanzarle entre Olías y Cabañas alzó la Joyosa y le dio tal golpe que le partió en dos. El infante entonces bajó del caballo, le quitó la vaina de la Durandarte y las demás armas y le cortó la cabeza, que colgó del petral de su caballo porque quería llevársela a Galiana. Montando de nuevo y cogiendo por las riendas el caballo de Bramante, se volvió a los suyos. Las gentes de Bramante, cuando se vieron sin señor, huyeron. Los franceses se apoderaron de su campamento, en el que encontraron mucho oro y plata y tiendas muy ricas, y se volvieron a Toledo llenos de gloria y con un magnífico botín.

El año 768 de la Encarnación del Señor murió Pepino, rey de Francia. Cuando lo supo Mainete habló en secreto con sus caballeros y díjoles que quería volverse a su tierra y heredar el reino. Un escudero de su primo Ainarte le contestó:

—Señor: yo le oí decir a Galafre el día que vencisteis a Bramante que, aunque quisierais, no os dejaría ir y que os vigilaría y nos vigilaría a los que con vos estamos.

El infante, al oír esto, se volvió a don Morante y a los otros ricoshombres que allí estaban y les pidió consejo. El conde don Morante dijo que creía conveniente hacer partícipe del secreto a Galiana, como así se hizo. Después resolvieron decir a Galafre que el infante quería ir de caza. Herradas las bestias con las herraduras al revés, salieron de Toledo al día siguiente, como si fueran de caza, y marcharon a Francia, sin que nadie pudiera seguir sus huellas.

El rey Galafre, al ver que tardaban, hizo que salieran moros en su busca, pero no los hallaron. Cuando ya el infante estaba muy lejos de Toledo se volvió don Morante a recoger a Galiana, según habían convenido. La infanta estaba siempre en lo alto de una torre, esperando al conde, que habría de llevársela. Cuando le vio venir salió en secreto de la ciudad por un subterráneo. Don Morante la puso en el arzón de su silla y anduvo con ella toda la noche. A la mañana siguiente, al preguntar el rey por Galiana y no encontrarla comprendió que los franceses se la habían llevado. Mandó en su persecución a muchos caballeros, que los alcanzaron en Montalbán, donde vencieron al conde y cogieron a Galiana. El conde, lleno de ira, los volvió a atacar muy gallardamente y les quitó la infanta. No quisieron los moros darse por vencidos, sino que, yendo contra el conde, otra vez se apoderaron de ella. Entonces el conde y los que con él iban hicieron un último esfuerzo, atacaron de nuevo a los moros y mataron a todos. Por fin cogieron a Galiana y se la llevaron por las montañas. Dicen que estuvieron siete semanas sin entrar en poblado por miedo a los moros que ocupaban entonces casi toda España. Iban tan hambrientos y necesitados que estuvieron a punto de morir por falta de alimento. Al cabo de siete semanas ya pudieron entrar en las poblaciones, donde compraban lo necesario. Pocos días después llegaron a París. Mainete, al saberlo, los salió a recibir y los llevó a palacio, hizo bautizar a Galiana y se casó con ella. En seguida tomó posesión de su reino. Llamáronle más tarde Carlos el Grande por lo dichoso que fue siempre en todas sus empresas.

BERNARDO DEL CARPIO

EL año 800 de la Encarnación, doña Jimena, hermana del rey don Alfonso el Casto [1], casó en secreto con el conde de Saldaña, don Sancho Díaz, del que tuvo un hijo, que llamaron Bernardo. El rey, cuando lo supo, se disgustó mucho, reunió en León a todos sus ricos-hombres y les habló así:

—Amigos: puesto que todos estáis ya aquí, me pregunto por qué no habrá venido don Sancho Díaz o por qué tarda tanto. Quiero que vayáis dos de vosotros a saludarle en mi nombre y a decirle de mi parte que venga a estas cortes, donde está haciendo mucha falta, pues no queremos decidir nada sin oír su opinión.

Dos ricos hombres, el uno llamado don Orios Godos y el otro el conde Tiobalte, dijeron entonces que tendrían mucho gusto en ir. Contestóles el rey que se lo agradecía, que fueran y que le dijesen que no trajera mucha gente consigo.

---

[1] Como se ha dicho en el prólogo, en los confusos relatos que sobre Bernardo del Carpio aparecen en los historiadores del XIII, se confunden dos reyes de Asturias, Alfonso II el Casto (791-842) y Alfonso III el Magno (866-910), y tres reyes francos, Carlomagno o Carlos I (768-814), Carlos II el Calvo (840-877), que es quien en la *Crónica general* recibe al héroe en su corte, en París, y Carlos III el Gordo (884-888), a quien don Lucas de Tuy llama también Carlos Martel, confundiéndole con el abuelo de Carlomagno que venció a los moros en Poitiers (732). El Bernardo histórico, conde de Ribagorza, sucedió a su padre, Ramón I, el 914, y murió en el año 950. La batalla de Roncesvalles se supone fue el 15 de agosto del 778. El 824 se dio en Roncesvalles otra batalla en la que los moros y los españoles lucharon contra los ejércitos de Luis el Piadoso (814-840). Quizás sea éste el origen remoto de la confusión de don Lucas de Tuy.

Los dos ricoshombres se pusieron en camino. Al llegar a Saldaña el conde los recibió muy bien. Cuando le hubieron dado su embajada el conde les dijo:

—¿Qué significa eso de que no lleve mucha gente? Si el rey quiere que yo honre su corte, ¿no la honraría más yendo a ella con muchos caballeros? Pero pues prefiere que vaya con pocos, hagamos lo que él manda.

Entonces cabalgaron y se fueron todos a León; pero no salió nadie a recibir al conde de Saldaña, pues el rey don Alfonso lo había prohibido. Don Sancho Díaz se disgustó al ver esto y no lo tuvo por buena señal.

Cuando supo don Alfonso que el conde estaba en León, mandó que se armaran algunos de sus caballeros y que sus monteros estuviesen listos. Hecho esto, les dijo:

—Cuando don Sancho Díaz llegue a palacio, echadle mano y cogedle de modo que no se os escape.

Estando ya todos apercibidos, entró el conde en el palacio saludando a los que se encontraba, sin que ninguno le contestara ni dijera nada. El rey don Alfonso, al ver que nadie se atrevía a prenderle, dio voces y dijo:

—¿Por qué vaciláis y no le prendéis?

Cuando oyeron esto los caballeros prendieron al conde. Tan fuertemente le apretaron las manos con una cuerda que se le rompió una vena y empezó a echar sangre. El conde con el dolor daba voces, diciendo:

—¡Ay, señor! ¿Qué falta he cometido? ¿Por qué mandáis hacer esto conmigo? No creo haber dado motivo alguno.

Contestóle el rey:

—Bastante causa habéis dado con vuestra conducta con doña Jimena.

Replicóle don Sancho:

—Pues estáis resuelto a proceder de este modo os ruego, señor, que eduquéis a Bernardo.

El rey le mandó entonces poner en cadenas y le envió al castillo de Luna. Después metió en un monasterio a doña Jimena e hizo que Bernardo fuera a Asturias, donde le criaron con mucho esmero, hasta que el rey, que le quería mucho por no tener hijos, le llevó a su corte. Bernardo, de hombre, era muy hermoso, muy gallardo y muy inteligente; se expresaba muy bien y era muy concertado en todas sus cosas. Además de esto era un caballero muy esforzado y el que mejor alanceaba un tablado y manejaba todas las armas.

Algunos dicen en sus cantares que Bernardo fue hijo de doña Timbor, hermana de Carlomagno, a la que, viniendo en romería a Santiago, invitó a ir a su tierra el conde de Saldaña, de quien ella le tuvo, y que el rey don Alfonso le crió como a hijo por no tenerlos.

Dicen que don Alfonso el Casto, siendo ya muy viejo, envió a decir en secreto a Carlos, emperador de los romanos y rey de Francia, que, puesto que él no tenía herederos, si quería venir a ayudarle contra los moros, le dejaría el reino. El emperador estaba también en guerra con los moros, quienes después de conquistar España habían pasado los Pirineos y ocupado Provenza, Burdeos, el Poitou y casi toda la Aquitania. El emperador les fue echando hacia el sur y llegó a conquistar, de este lado de los Pirineos, una región llamada Cataluña, que antes había sido de los visigodos. Aunque mucho trabajo le daban los moros al emperador por este lado, prometió a don Alfonso irle a ayudar.

Cuando volvieron los embajadores y los ricoshombres se enteraron de todo, le dijeron al rey que, si no anulaba el ofrecimiento hecho al emperador, le quitarían la corona y elegirían otro, pues preferían morir libres a estar al servicio de los franceses. El más enérgico de todos ellos fue Bernardo, el sobrino del rey, que aún no sabía que su padre estaba en prisión, ya que nadie osaba decírselo. Aunque al rey le costó mucho trabajo hacerlo, no tuvo más remedio que mandar decir al emperador que revocaba su ofrecimiento. Carlos, al oírlo, se enfadó mucho, porque vio que el rey o había mentido o se desdecía, y profirió grandes amenazas. Dicen que llegó a escribirle, diciéndole que reconociera su señorío y fuese su vasallo. Bernardo, al saber esto, reunió a muchos caballeros de los que estaban al servicio de don Alfonso y se fue a Marsil, rey de Zaragoza, a ayudarle en la guerra que tenía con el emperador. Carlos dejó entonces de guerrear con los moros de Zaragoza y se vino contra los cristianos. Cercó a Tudela, y la hubiera tomado, si no fuera por la traición de Ganelón, que era uno de sus condes. Entonces levantó el sitio de Tudela y se fue a tomar Nájera y el monte Jardino, donde dejó gente suya; después de lo cual quiso atacar a aquellos cristianos que cuando vinieron los moros a España lograron escapar con vida.

Estos cristianos, muy asustados, pidieron a Dios que los ayudase, ya que, mientras ellos eran muy pocos y vivían reducidos a un territorio muy estrecho, Carlos era el monarca más poderoso que entonces había. A pesar de esto, al extenderse la noticia de su venida por Asturias, Álava, Vizcaya, Navarra y Aragón, resolvieron morir antes que soportar la servidumbre de los franceses. Por lo que todos fueron a engrosar el ejército del rey don Alfonso y salieron con él contra el emperador.

Éste, que venía de Francia con lucida hueste, dejó la retaguardia de su ejército al pie de los Pirineos, en el puerto de Roncesvalles [2]; él subió hasta lo alto por un valle que todavía hoy se llama Valcarlos, por donde la subida era más suave, poniendo al frente de la vanguardia a Roldán, adelantado de Bretaña, al conde Anselmo, a Guiralte, su mayordomo, y a otros muchos ricoshombres. Llegaron entonces a cerrarles el paso el rey don Alfonso con todas las gentes que con él venían, Marsil, rey de Zaragoza, con muchos moros y navarros, y Bernardo que, como dijimos, se había ido con él. Bernardo atacó, junto con los moros, a los franceses; también los atacó por otro lado el rey don Alfonso. Fue la batalla muy reñida y sangrienta. Muchos murieron, pero al final venció don Alfonso con ayuda de Dios. Entre los franceses murieron Roldán, el conde Anselmo, Guiralte y muchos otros grandes señores. El emperador todavía venía subiendo por el valle cuando vio que muchos de los suyos bajaban huyendo de lo alto del puerto. Tocó él entonces un olifante [3] que consigo llevaba, a cuyo sonido se reunieron todos aquellos franceses que andaban dispersos por los montes y aun muchos de los que formaban la retaguardia, que oyeron decir que las gentes de España venían a atacarlos por los puertos de Aspa y de Sécola. Cuando Carlos vio que sus gentes estaban, unos muertos, otros heridos y muchos dispersos, y que los españoles ocupaban el puerto, por donde solo podría pasar con muy grandes pérdidas, re-

---

[2] La batalla de Roncesvalles se supone dada el 15 de agosto del 778, según las fuentes francesas al salir los franceses de España y no, como aquí, al ir al entrar en ella. No se dice nada en estas fuentes de la presencia de cristianos españoles junto a los moros.

[3] Aunque en francés antiguo *olifant* significó en su origen «marfil», más tarde vino a significar también «cuerno de marfil». Recordemos que en la gesta francesa quien toca el cuerno no es Carlomagno, sino Roldán.

solvió muy apesadumbrado volverse a Alemania a prepararse para venir a España otra vez.

Dicen que dos ricoshombres del rey don Alfonso, llamados Blasco Meléndez y Suero Velázquez, que eran parientes de Bernardo y a quienes dolía mucho la prisión del conde don Sancho Díaz, pensaron cómo podrían decirle a Bernardo que su padre estaba preso y, no atreviéndose a hacerlo directamente, resolvieron valerse de doña María Meléndez y de doña Urraca Sánchez, a las que hablaron del siguiente modo, después de haberles encargado secreto:

—Vosotras sabéis jugar muy bien a las tablas. Nosotros os daremos mucho dinero, que podréis apostar, invitando a quien quiera jugar con vosotras. Al primero que se acerque le diréis que vosotras sólo estáis dispuestas a jugar con Bernardo. Bernardo, cuando se entere, vendrá en seguida. Dejadle ganar. Cuando él quiera llevarse el dinero, le pediréis que os deje algo y, si no lo hace, le diréis, como si estuvierais muy enfadadas que, ya que no quiere darlo a vosotras, se lo dé a su padre, que está encerrado en el castillo de Luna.

A las damas agradó mucho el plan, que ejecutaron según lo previsto. A Bernardo, al saber que su padre estaba preso, se le revolvió la sangre en el cuerpo. Dejó el dinero, sin querer cogerlo y se fue a su casa, lamentándose mucho. Inmediatamente se vistió de luto y se fue a palacio. El rey, cuando le vio vestido de luto, le preguntó muy disgustado:

—¿Qué es esto, Bernardo? ¿Deseas mi muerte?

Contestóle Bernardo:

—No, señor, es que vengo a pediros que me deis a mi padre, que tenéis preso en el castillo de Luna.

El rey, al oír esto, estuvo mucho tiempo sin decir palabra. Al cabo de un rato exclamó:

—Ahora veo cuán cierto es el dicho antiguo de que no es posible librarse de traidores ni de cizañeros.

Después se volvió a Bernardo y le dijo que se le quitara de delante y que nunca volviera a hablarle de su padre, pues le aseguraba que no le vería ni saldría del castillo mientras él viviese. Respondióle Bernardo:

—Rey sois y señor, y podéis hacer lo que queráis. Pido a Dios, sin embargo, que os incline a sacar a mi padre de allí. Mientras tanto, no dejaré yo de serviros en lo que pudiere.

Estando en Alemania el emperador Carlos, preparándose para venir otra vez a España, lo fue dejando de un día para otro por estar muy cansado de los años que había pasado en guerra contra moros. A todo esto se puso malo y murió en Aquisgrán, donde fue enterrado muy solemnemente en un sepulcro en que estaban pintadas todas las batallas que había ganado; en aquel lado del sepulcro que miraba hacia Roncesvalles y los Pirineos, donde fue vencido por los españoles, no pintaron nada.

El año 840 salió de Toledo un poderoso ejército moro a devastar las tierras cristianas. El rey don Alfonso el Magno fue contra ellos, y hubo una batalla a orillas del Duero, en la que los moros fueron derrotados y perdieron todo lo que traían. Murieron cuatrocientos cuarenta moros; los demás huyeron. El rey don Alfonso los persiguió y mató a tantos de ellos que muy pocos conservaron la vida. En todas las batallas que este rey don Alfonso tuvo con los moros Bernardo hizo grandes mortandades, como león hambriento, peleando muy bizarramente. Después que don Alfonso ganó esta batalla se volvió a León lleno de gloria y con un gran botín.

Viviendo los cristianos con mucha paz les llegó la noticia de que Ores, rey de Mérida, venía contra ellos con un gran ejército, con el que había cercado Benavente. Al saberlo el rey don Alfonso reunió a los caballeros que encontró a mano y lo más de prisa que pudo se fue a Benavente, donde halló a los moros, como le habían dicho, los atacó y los venció, matando a muchos de ellos. En esta batalla murió el rey Ores. Dicen que Bernardo lidió muy bien. Casi en seguida se enteró el rey de que otro moro muy poderoso, llamado Alqaman, había también entrado en tierra de cristianos y cercaba Zamora. Entonces el rey reunió a los pocos caballeros que quedaron con él, pues la mayoría se había ido después del triunfo de Benavente, y se metió dentro de Zamora, mandando decir al mismo tiempo por todas sus tierras lo que había hecho y pidiendo que le socorriesen. Bernardo vino en seguida con un fuerte ejército, atacó a los moros y los derrotó. Mató al señor de ellos y a muchos otros y puso en fuga a los que quedaban.

No mucho después supo don Alfonso que habían entrado tantos moros que, fiados en su número, se habían dividido, y mientras unos iban a atacar la comarca de Polvorera, otros venían adonde él estaba. El rey don Alfonso salió contra ellos. Bernardo cogió una parte de la hueste del rey y se fue a atacar a los moros que iban hacia Polvorera, a los que encontró en un lugar llamado Valdemoro, donde los derrotó, matando a casi todos. Al mismo tiempo el rey don 'Alfonso vencía cerca del Órbigo a los otros moros, de los que mató a más de doce mil. De todos los moros que entonces vinieron no quedaron con vida más de diez o doce, que se salvaron echándose al suelo, haciéndose los muertos y manchándose con la sangre que corría por allí. Ganada esta batalla el rey don Alfonso se dirigió a Toro muy contento y cargado de un rico botín.

Al año siguiente supo don Alfonso que un ricohombre francés, llamado don Bueso, le había entrado por su reino con un gran ejército y le estaba haciendo cuanto mal podía. El rey don Alfonso reunió su hueste y fue contra él. Se dio la batalla en tierras de Castilla, en Ordejón, muy cerca de Amaya. Murieron en ella muchos de ambas partes. Al encontrarse don Bueso y Bernardo se atacaron el uno al otro con tanto ímpetu que se les rompieron las lanzas. Entonces echaron mano a las espadas, con las que se dieron muy fuertes golpes. Al final Bernardo mató a don Bueso. Al ver los franceses muerto a su señor abandonaron el campo y huyeron. Entonces Bernardo le fue a besar la mano a don Alfonso y le pidió que sacara a su padre de la prisión. El rey don Alfonso se lo prometió. Al final de todas las batallas que el rey don Alfonso tuvo con los moros, Bernardo, que hizo en ellas muchas proezas, le pidió que diera libertad a su padre. El rey siempre se lo prometía, pero cuando de nuevo se veía en paz no quería ya hacerlo. Por esto Bernardo se negó a servirle y estuvo cerca de un año sin querer montar a caballo.

El año 844 el rey don Alfonso reunió al comienzo de la primavera cortes en León. Con este motivo se celebraron muy grandes fiestas. Mientras duraron se lidiaban todos los días cuatro toros y se alanceaban varios tablados. El rey don Alfonso salió un día muy alegre a ver a los caballeros que alanceaban uno tan alto que eran muy pocos los que a él llegaban. Dos ricoshombres que había en la corte, el uno llamado Orios Godos y el otro Tiobalte, de los que ya hablamos, viendo que Bernardo nunca salía de su casa, resolvieron pedir a la reina que le rogara saliese a alancear aquel tablado. La reina mandó llamar a Bernardo y le dijo:

—Don Bernardo: os ruego que, en atención a mí, que os lo pido, montéis a caballo y alanceéis ese tablado, que yo os prometo que cuando venga el rey a comer yo misma he de pedirle la libertad de vuestro padre, que no creo me niegue.

Bernardo entonces cabalgó y se fue a alancear el tablado, que echó por tierra. Cuando el rey fue a comer don Orios Godos y el conde Tiobalte dijeron a la reina que se acordara de la promesa que había hecho a Bernardo. La reina entonces montó a caballo y se fue a hablar con el rey, que le dijo al verla:

—¿Qué queréis, señora?

Ella contestó:

—Señor: yo nunca os he pedido me concedáis nada. Ahora voy a pediros mi primera gracia. Os ruego que pongáis en libertad al conde Sancho Díaz.

El rey, cuando oyó esto, se disgustó mucho, y dijo que no lo haría por no quebrantar el juramento que tenía hecho. La reina se volvió a palacio muy afligida y sin decir nada. Bernardo, al saberlo, se fue llorando al rey y le pidió con mucha insistencia que le diese a su padre. El rey le respondió muy enojado que no quería y que si volvía a hablarle de esto le metería en el mismo sitio donde estaba su padre. Replicóle Bernardo:

—Señor: bien me debíais dar a mi padre en premio de todos los servicios que os tengo hechos. No habréis olvidado cómo os salvé la vida en Benavente, dándoos mi caballo, cuando os mataron el vuestro en la batalla contra el rey Ores. Entonces me dijisteis que os pidiera una gracia. Yo os pedí la libertad de mi padre, que me prometisteis. Lo mismo pasó cuando fuisteis a defender Zamora del moro Alqama, que la había cercado. Después que ganasteis aquella batalla, en la que recordaréis cómo yo peleé, me lo prometisteis una vez más. Puesto que tantas veces me lo habéis prometido y nunca lo habéis hecho, os desafío a vos y a todos los que son de vuestro linaje o vasallos vuestros. Tampoco, señor, deberíais olvidar cómo os fui a ayudar a orillas del Órbigo, cuando los moros os habían cercado y teníais la muerte tan cerca.

Contestóle el rey muy airadamente:

—Don Bernardo: pues así os ponéis, os mando que salgáis de mi reino dentro del término de nueve días. Y os advierto que, si después de pasado os encuentro en él, os encerraré con vuestro padre para que podáis hacerle compañía.

Bernardo, también muy enojado, dijo a don Alfonso:

—Puesto que me obligáis a salir desterrado, me iré del reino, pero también os advierto que, si después de los nueve días os encuentro en yermo o en poblado, me tendréis que dar a mi padre, si es que entonces yo me conformo con eso solo.

Dicho esto, se fue Bernardo. Tres ricoshombres que había en la corte, que eran parientes de Bernardo y que se llamaban el primero don Blasco Meléndez, el segundo don Suero Blásquez y el tercero don Nuño de León, se despidieron también del rey, besándole la mano, y se fueron con él, llevando consigo a muchos caballeros. Fuéronse todos a Saldaña, desde donde Bernardo le hacía la guerra al rey don Alfonso y todo el daño que en ella podía. Dos años duraron estas guerras.

El año 846 reunió don Alfonso cortes en Salamanca. Mientras las cortes se celebraban muchas gentes de Benavente, de Toro, de Zamora y de otros lugares, aprovechando la ausencia del rey, se fueron con Bernardo, a quien le dijeron que no le abandonarían hasta que consiguiera libertar a su padre. Bernardo, al verse a la cabeza de tanta gente, decidió acercarse a Salamanca, a ver qué hacía el rey. Cruzando la comarca llegó a Alba de Tormes, como si no se atreviera a ir a Salamanca. Desde Alba bajó por la orilla del río. Después de pasar el vado de Bimbre celebró consejo con sus caballeros, que eran trescientos. Díjoles Bernardo:

—Doscientos de vosotros queden aquí ocultos. Los otros cien vengan conmigo a Salamanca. Si Dios quiere que yo entre allí, lograré del rey todo lo que quiera.

Después que Bernardo hubo dividido a sus gentes y dado sus órdenes a los doscientos, que dejó en celada, marchó a Salamanca. Yendo por el camino, varios caballeros del rey don Alfonso conocieron sus armas y muy asustados quisieron huir hacia la ciudad, pero Bernardo no los dejó. Viendo que no podían escapar se resolvieron a lidiar con él. Bernardo mató a unos sesenta de ellos.

El rey, al saber esto, mandó que se armaran todos sus caballeros rápidamente y que salieran contra Bernardo. Cuando éste vio venir a las gentes del rey desordenadamente, fingió que huía. Persiguiéndole los del rey, llegaron al lugar donde estaban ocultos los que se habían quedado en celada. Trabóse entonces un gran combate en el que murieron muchos de ambas partes. Al final venció Bernardo, que cogió prisioneros a don Orios Godos y al conde

Tiobalte. Los que pudieron escapar huyeron a Salamanca. Aunque victorioso, Bernardo estaba muy disgustado por no haber podido llegar hasta el rey. Dicen que entonces juró que nunca dejaría de hacerle la guerra hasta que libertara a su padre. Retirándose con sus caballeros, Tormes arriba, camino de Alba, al llegar a un otero que está a tres leguas de Salamanca, puso espuelas a su caballo, subió a lo alto y miró a todas partes; viendo desde allí toda aquella tierra, tan hermosa y abundante en todo lo necesario para la vida, resolvió edificar en este otero un castillo muy fuerte, al que llamó El Carpio, por lo cual le llamaron en adelante Bernardo del Carpio. Una vez que estuvo edificado, mandó pregonar que todo el que viniese a él con provisiones o con cualquier cosa que allí hiciera falta quedaba libre de alcabala y portazgo [4].

Después de esto salió Bernardo con los moros, los que le ayudaron a hacer la guerra desde su castillo al rey don Alfonso, quien mandó que todos los caballeros y hombres de armas que hubiera en su reino se juntaran en León. Cuando vio el rey lo muchos que eran se fue a cercar a Bernardo en El Carpio. Bernardo entonces reunió a sus ricoshombres y a sus caballeros y les dijo:

—Amigos: hace mucho tiempo que sabéis mi desgracia y no es necesario que ahora os explique lo que me sucede. Yo tengo aquí preso a Orios Godos y al conde Tiobalte; si os parece bien, se los enviaré al rey como regalo. Espero que me lo agradezca y que me dé a mi padre a cambio de ellos.

Después de esto habló con Orios Godos y el conde Tiobalte y les dijo, contándoles lo que quería hacer:

—Condes: puesto que yo os pongo en libertad, os ruego que pidáis al rey que me dé a mi padre, y, si no quiere hacerlo, que me lo diga.

Los condes se fueron al rey y le dijeron lo que Bernardo esperaba de él. El rey, al oírlos, respondió muy airado:

—Conde: en verdad os digo que Bernardo hizo al soltaros una buena acción, que le agradezco mucho; pero aunque hiciera cien otras tan buenas o mejores que ésta yo nunca le daría a su padre.

---

[4] La alcabala era el impuesto que pagaban todos los vendedores y que se fijaba sobre el valor de la mercadería. El portazgo era el derecho que se pagaba por introducirla o por pasarla.

A los condes disgustó mucho esto y muy en secreto se lo enviaron a decir a Bernardo. Bernardo, al saberlo, mandando que todos sus caballeros se armaran, les dijo:

—Amigos: ya esto no se puede aguantar. Pues no hay otro modo de conseguir lo que tanto deseo, quédense aquí quince de vosotros a guardar el castillo y vengan conmigo todos los demás.

A todos pareció muy bien lo que decía Bernardo. Salieron del castillo con mucho sigilo para que el rey, que lo sitiaba, no se diera cuenta y se fueron a hacer una algarada por tierras de Salamanca. Yendo para allá les dijo Bernardo:

—Amigos: quiero explicaros mi plan, que creo es muy bueno. Después de haber saqueado la comarca de Salamanca, volveremos aquí a atacar el campamento del rey don Alfonso, que espero poder también saquear. Solo os advierto que si el rey sale a lidiar con nosotros no quiero que nadie le hiera ni mate, a pesar de lo mal que él se ha portado conmigo, y mucho me afligiría si alguno lo hiciera. A todos los demás podréis muy bien matar, sin que ninguno escape con vida.

En efecto, después de haber saqueado las tierras de Salamanca, se volvieron al Carpio. Mientras regresaban le dijeron al rey que Bernardo había andado por aquella comarca. El rey mandó armar en seguida y montar a caballo a toda su gente, quienes salieron contra Bernardo. Bernardo los derrotó y obligó a don Alfonso a abandonar el campamento, que saquearon los suyos. Hecho esto, entraron en El Carpio llenos de gloria y con mucho botín. Ya en el castillo, dijeron sus gentes a Bernardo que había hecho muy mal en obligarles a retirarse tan pronto, sin darles tiempo para perseguir a todos los que huían y acabar el saqueo, en el que hubieran podido coger tantas riquezas que para siempre habrían sido ricos. Bernardo les respondió entonces sonriendo:

—No os aflijáis por lo que habéis perdido, que bastante tenemos. Si les hubiéramos quitado todo habrían ellos quedado tan escarmentados que no volverían y ya no podríamos quitarles más nada. Ahora podremos quitarles las riquezas que traigan cada vez que vengan.

Efectivamente así sucedió, como Bernardo les había anunciado.

Cuando las gentes de don Alfonso vieron el daño que Bernardo les estaba haciendo, le dijeron:

—Señor: en muy mala hora entró en su prisión el conde de Saldaña, pues tanto es el daño que Bernardo nos hace que todo el reino se halla arruinado. Mucho nos agradaría que sacarais al conde y se lo dieseis a Bernardo, pues si no lo hacéis estamos seguros de que nunca tendremos paz.

El rey se disgustó mucho al oírles esto y respondió:

—Lo haré, pues me lo aconsejáis y decís lo queréis. Vayan, pues, a Bernardo algunos de vosotros y pregúntenle si está dispuesto a entregar su castillo a cambio de su padre.

Orios Godos y el conde Tiobalte dijeron al rey que ellos irían, si a él le parecía bien. Cuando llegaron al Carpio salió Bernardo a recibirlos. Ellos le dijeron:

—Don Bernardo: el rey nos manda a deciros que, si le queréis dar vuestro castillo, él os dará, a cambio, vuestro padre.

Bernardo se alegró mucho y les respondió que estaba dispuesto. Entonces se fueron todos juntos a hablar con el rey. El rey don Alfonso le recibió muy bien y le dijo:

—Bernardo: desde hoy quiero que vivamos en paz.

Bernardo contestó:

—Señor: más gano yo con guerras que con paces, como siempre sucede a los que no tienen otro medio de vida. No ha sido culpa mía si os he hecho la guerra, ya que teníais preso a mi padre y no me lo queríais dar.

Replicóle el rey que no le tomaba a mal lo que había hecho, pues había sido en causa tan justa, y acabó diciéndole que si quería que le diera a su padre y vivieran en paz, le entregara primero las llaves del Carpio para que tomara posesión de él. Bernardo, muy alegre, le besó la mano y le dio las llaves del castillo. El rey mandó entonces a Orios Godos, al conde Tiobalte y a otros doce de sus caballeros que fueran a traer al conde de Saldaña.

Cuando éstos llegaron a León se enteraron de que el conde había muerto hacía ya tres días. Preguntaron entonces al rey en secreto qué debían hacer. El rey les mandó que bañaran el cadáver para ablandarlo, que lo vistiesen con buena ropa y que, cubierto por un manto rojo, forrado de piel, lo montasen en un caballo con un escudero a la grupa que lo sujetase y lo trajeran adonde él estaba, avisándole de su venida. Así lo hicieron. Al llegar cerca de Salamanca el rey don Alfonso salió a recibirlos. El conde don Sancho

Díaz venía muy bien vestido y acompañado, como el rey mandara. Al juntarse los que salían y los que llegaban preguntó Bernardo a grandes voces:

—¿Dónde está el conde don Sancho Díaz?

El rey don Alfonso se lo señaló. Bernardo se fue a él y le besó la mano, pero al sentirla fría y mirarle a la cara vio que estaba muerto. Dio entonces voces mucho mayores y comenzó a lamentarse y a llorar, diciendo:

—¡Ay, conde don Sancho Díaz, en mal hora me engendrasteis! Nunca se ha visto nadie en mayor aflicción que yo me encuentro ahora, pues habéis muerto, he perdido el castillo y no sé qué hacer.

Cuentan que el rey le dijo:

—Don Bernardo: no es éste el momento de hablar. Os mando que salgáis desterrado del reino.

Dicen que aunque el rey estaba muy airado con Bernardo le dio dinero para irse a Francia y caballeros que le acompañaran y que Bernardo se fue, aunque luego regresó a España, donde murió. Al llegar a París, donde estaba el rey Carlos, entró en el palacio y yéndose al rey le besó la mano y le contó todo lo que le había pasado con don Alfonso. Todos los franceses le recibieron muy bien. Dicen en los cantares que Bernardo entonces le contó al rey que él era sobrino de Carlomagno e hijo de su hermana doña Timbor y que el rey le respondió que se alegraba mucho y preguntó a otro hijo de la princesa, que estaba en la corte, si reconocía a Bernardo como hermano. Contestó que no, puesto que no lo era. Bernardo entonces se enojó mucho, le desafió delante del rey y se fue a su posada. El rey le envió mucho dinero, un caballo y armas.

Al día siguiente salió Bernardo de París y empezó a saquear todas las tierras por donde pasaba. Andando de una parte a otra llegó a los puertos de Aspa, donde pobló el canal llamado de Jaca. Tan grande era el miedo que por todas partes le tenían que no sabían las gentes qué hacer cuando él se acercaba. Por este tiempo ganó tres batallas contra los moros, a los que quitó mucho botín. También conquistó desde Ainsa hasta Berbegal, y Barbastro, y Sabarne, y Montblanc, tierras que mantuvo en paz y defendió muy bien. Después de esto casó Bernardo con una dama, llamada doña Galinda, que era hija del conde Alardos de Latre y de la que tuvo a Galín Galíndez, que fue un caballero muy esforzado.

LAS MOCEDADES DEL CID

Eɴ tiempos del rey don Fernando, llamado el Magno [1], comenzó
a adquirir fama un mancebo llamado Rodrigo de Vivar, que era
muy esforzado, de buenas costumbres y muy bien quisto de todos
por dedicarse a defender la tierra de los moros. Conviene que sepáis
de quién descendía. Cuando murió el rey don Pelayo quedó Castilla sin señor, por lo cual eligieron dos jueces, el uno llamado
Nuño Rasura y el otro Laín Calvo. De Nuño Rasura vino el emperador don Alfonso; de Laín Calvo, Rodrigo de Vivar. Laín Calvo casó
con Elvira Núñez, que era hija de Nuño Rasura y que fue también
llamada doña Vello, por ser muy vellosa. Tuvo de ella cuatro hijos,
al mayor de los cuales llamaron Fernán Laínez; de éste, que pobló
Faro, descendían el Cid Campeador y los de Vizcaya. Del segundo,
llamado Laín Laínez, vienen los Mendoza. Del tercero, cuyo nombre
era Ruy Laínez y que pobló Peñafiel, proceden los Castro. Del
menor, Bermudo Laínez, descendía la madre del Cid Ruy Díaz.

Quiero que sepáis que Diego Laínez, trasbisnieto de Laín Calvo
y padre del Cid, siendo aún soltero, un día de Santiago, en que
iba a caballo, encontró a una villana que llevaba comida a su marido, que estaba en la era. Forzando a la villana, la dejó preñada.

---

[1] Ya se ha dicho en el prólogo que este poema carece del todo de
realidad histórica y que puede ser en parte la respuesta de nuestros juglares a las pretensiones sobre España del papa, que determinaron la toma
de Barbastro en 1064. Añadamos solo que el Cid histórico nació hacia
el año 1043, lo que quiere decir que tendría 28 años al morir don
Fernando I en 1065, y murió en el 1099. Su mujer, doña Jimena Díaz,
con la que casó en 1074, era hija del conde de Oviedo don Diego Rodríguez y bisnieta del rey de León don Alfonso V.

Llegada a la era, su marido yogó con ella, aunque le contó lo que
le había pasado con el caballero, y también la preñó. A la hora
del parto nació primero el hijo de don Diego, que recibió el nombre de Fernando Díaz, el cual casó luego con una hija de Antón
Antolínez el burgalés, de la que tuvo, andando los años, a Martín
Antolínez, a Fernán Alfonso, a Pedro Bermúdez, a Alvar Salva-
dórez y a Ordoño el menor, que fueron los únicos sobrinos del Cid,
quien no tuvo nunca otro hermano ni hermana.

Después del episodio de la villana, Diego Laínez casó con doña
Teresa Núñez, hija del conde Nuño Álvarez de Amaya. De este
matrimonio nació Rodrigo. Fue su padrino un clérigo llamado don
Pedro Pringos. A este su padrino le pidió él un día le regalara un
potro. El padrino le llevó adonde estaban muchas yeguas con muchos potros para que él eligiese el que prefería. El muchacho entró
en el corral, del que hizo salir a todas las yeguas con sus potros,
sin elegir ninguno de ellos. Al final salió una yegua con un potro
muy feo y sarnoso. Dijo el muchacho:

—Éste quiero yo.

Su padrino le contestó entonces enfadado:

—Babieca, qué mal has elegido.

Replicóle Rodrigo:

—Éste será un caballo muy bueno y tendrá por nombre Babieca.
Efectivamente así sucedió y con él ganó el Cid muchas batallas.

Un día Rodrigo, andando por Castilla, se peleó con el conde
don Gómez, señor de Gormaz, con el que tuvo un duelo, en el que
le mató. Poco después entraron por Castilla cinco reyes moros.
Pasaron más allá de Burgos, Montes de Oca, Carrión, Belorado,
Santo Domingo de la Calzada, Logroño y Nájera y cogieron muchos
cautivos y mucho ganado. Volviendo ellos con su botín, Rodrigo de
Vivar, que había hecho que se armaran todos los cristianos, les
salió al encuentro en Montes de Oca, los derrotó, les quitó el botín,
hizo prisioneros a los cinco reyes y se fue con ellos donde estaba
su madre. Allí repartió el botín y los moros cautivos entre los que
participaran en la batalla. Todos quedaron muy contentos de él
y le elogiaron mucho. Después de haber agradecido a Dios esta
victoria, dijo Rodrigo que no estaba bien que los reyes moros que-
daran cautivos y les permitió volver a sus tierras, lo que ellos hicieron

colmándole de bendiciones. Al llegar a sus tierras le mandaron tributo y se reconocieron vasallos suyos.

Estando el rey don Fernando en León, sosegando este reino, le llegaron noticias de la victoria que había logrado Rodrigo contra los moros. Poco después se le presentó Jimena Gómez e hincados los hinojos ante él le dijo:

—Señor: yo soy la hija menor del conde don Gómez, que ha sido muerto por Rodrigo de Vivar. Os ruego que me lo deis por marido, para que tenga que ampararme el mismo que me quitó el amparo de mi padre. Con él estaré muy bien casada, pues estoy segura que ha de llegar más alto que ningún otro de vuestros vasallos. Mucho os agradeceré que hagáis lo que os pido, pues será servicio de Dios, ya que así podré perdonar a Rodrigo de Vivar el daño que me ha hecho.

Al rey le pareció que debía acceder a lo que doña Jimena solicitaba, por lo que escribió a Rodrigo, mandándole que viniese a Palencia para hablar con él de cosas que redundarían en servicio de Dios y en provecho suyo.

Rodrigo de Vivar, cuando leyó las cartas, se alegró mucho, y dijo a los mensajeros que quería hacer.lo que el rey le mandaba e ir a Palencia. Para eso se proveyó de armas y de galas. Llevó consigo a cuatrocientos caballeros: unos vasallos suyos; otros vasallos de sus parientes y de sus amigos. Al llegar a Palencia el rey le salió a recibir y le agasajó mucho, lo que despertó la envidia de los ricoshombres. En cuanto el rey habló con él a solas le dijo que Jimena Gómez, hija del conde don Gómez de Gormaz, a quien él matara, le pedía por marido y que estaba dispuesta a perdonarle; por lo que él le rogaba se casara con ella y le prometía en este caso muchas mercedes. A Rodrigo agradó mucho lo que el rey le dijo. Contestóle que estaba dispuesto a obedecer en esto, como en todo lo demás que quisiera mandarle. El rey se lo agradeció mucho e hizo venir al obispo de Palencia, que los casó. Con este motivo le hizo el rey don Fernando muchos regalos y le dio más tierras de las que tenía. Mucho amaba a Rodrigo porque veía que era obediente y porque oía alabar mucho sus proezas. Rodrigo se despidió del rey y llevó a su esposa a casa de su madre, que la recibió muy bien y bajo cuyo amparo la dejó, después de haber jurado que no consumaría el matrimonio hasta haber vencido cinco batallas campales.

Pidió a su madre que amase a doña Jimena tanto como a él y que la agasajase mucho, por lo que él la querría y honraría aún más que antes. Su madre prometió hacerlo y él se fue entonces a la frontera de los moros.

El rey don Fernando tuvo una disputa con el rey don Ramiro de Aragón, su hermano, sobre la ciudad de Calahorra, que cada uno de ellos decía que era suya. Al rey de Aragón le aconsejaron que desafiara a su hermano para poder nombrar un campeón y que de este modo el pleito se resolviese en singular combate, ya que él contaba entre sus vasallos a Martín González, considerado como el mejor caballero de España y a quien muy bien podía confiar la defensa de su derecho. El rey don Fernando recibió el desafío y dijo que por él lidiaría Rodrigo, pero que, como en aquel momento no estaba allí, habría que esperar a que volviese. Nombrado Martín González campeón del rey don Ramiro, fijaron la fecha del desafío y resolvieron que el que venciera ganase Calahorra para su señor. Convenido esto, se volvieron los reyes a sus tierras.

El rey don Fernando envió en seguida por Rodrigo de Vivar y le dijo que tenía que lidiar en defensa de su derecho. Rodrigo, al oírlo, se alegró mucho y respondió que combatiría de muy buena gana, pero que mientras llegaba la fecha quería ir en peregrinación a Santiago en cumplimiento de una promesa. El rey le dio permiso, dinero y regalos. Rodrigo se puso en camino, acompañado por veinte caballeros.

Yendo para Santiago no dejaba Rodrigo de dar muchas limosnas a todos los pobres que se la pedían. Un día encontró a un leproso en un tremedal, pidiendo a gritos que le sacasen por amor de Dios. Rodrigo descabalgó, le sacó del peligro, le hizo montar en su caballo y le llevó consigo a la posada donde se albergaron, lo que disgustó mucho a los caballeros que le acompañaban. Cuando la cena estuvo preparada, mandó sentar a sus caballeros, cogió de la mano al leproso, le sentó a su lado y le hizo comer en su mismo plato. Tan molestos estaban los caballeros con esto que, pareciéndoles que la lepra caía en el plato en que ellos comían, los dejaron solos en la posada. Rodrigo mandó preparar una cama, en la que se acostaron los dos. A media noche, durmiendo Rodrigo, le echó el leproso por la espalda un resuello tan recio que le sacudió el pecho. Rodrigo se despertó asustado y buscó al leproso. No encontrándole, empezó a llamarle, pero no respondió. Aún más asustado se levantó, pidió luz y le buscó con ella, aunque sin encontrarle. Volvióse a la cama con la luz encendida y empezó a pensar en lo sucedido. Estando mucho rato pensando en esto, se le apareció un hombre, vestido de blanco, que le dijo:

—¿Duermes, Rodrigo?

Él respondió:

—No duermo. Pero ¿quién eres tú, que vienes envuelto en tal claridad y que exhalas tan suave olor?

Contestáronle entonces:

—Yo soy S. Lázaro. Te hago saber que yo era el leproso con quien tú usaste de tanta caridad por amor de Dios. Por el bien que me has hecho Dios te concede un don: que cuando sientas el resuello que antes sentiste emprendas sin temor lo que vayas a hacer. Lo mismo si se trata de batallas que de otras cosas las acabarás muy felizmente. Con esto tu fama crecerá de día en día y serás muy temido de los moros y de los cristianos. Nunca tus enemigos te podrán hacer daño y morirás en tu cama, lleno de gloria, pues siempre serás vencedor y jamás vencido. Queda en paz y obra siempre del mismo modo, que Dios te bendice.

Con esto desapareció la visión. Rodrigo se levantó, le pidió a la Virgen María, que es nuestra abogada, que rogase por él a su bendito Hijo para que librase su cuerpo de daño y su alma de pecado, y se quedó rezando hasta que amaneció. Al día siguiente siguió su camino para Santiago, haciendo mucho bien por amor de Dios y de la Virgen.

Cuando hubo llegado el día en que Rodrigo tenía que lidiar con Martín González para decidir de quién sería Calahorra, como él no viniese, Alvar Fáñez Minaya, su primo hermano, que había sido nombrado sustituto suyo, se empezó a armar. A último momento llegó Rodrigo, montó el caballo de su primo y entró en el palenque. Lo mismo hizo Martín González. Cuando los jueces designados por ambas partes les hubieron partido el sol [2], se atacaron el uno al otro con tanta furia que a los dos se les rompió la lanza y los dos

---

[2] Poníase a los combatientes de tal manera que la situación del sol no beneficiara ni perjudicara a ninguno de ellos.

quedaron heridos. Martín González quiso asustar a Rodrigo, diciéndole:

—Mucho debe ya pesaros, don Rodrigo, el haber venido a combatir conmigo, pues no volveréis a Castilla vivo ni consumaréis el matrimonio con doña Jimena, a quien tanto amáis.

Rodrigo replicó, muy molesto con estas palabras de Martín González:

—Don Martín: no es propio lo que habéis dicho de tan buen caballero como sois vos. Este pleito se ha de decidir por las armas y no a fuerza de palabras. Todo el poder es de Dios; que Él conceda la victoria a quien por bien tenga.

Muy enojado se fue Rodrigo contra él y le dio con la espada en el yelmo, haciéndole una herida en la cabeza, por la que empezó a perder mucha sangre. Don Martín González le dio a Rodrigo un golpe tan fuerte que le rompió el escudo, que al tirar de la espada se llevó consigo. Rodrigo entonces le hizo otra herida en la cara, por la que también perdió mucha sangre. Hiriéndose el uno al otro con mucha saña y sin piedad alguna, don Martín González perdió tanta sangre que ya no se pudo tener derecho y cayó del caballo. Rodrigo descabalgó y le mató. Hecho esto preguntó a los jueces si había algo más que hacer en defensa del derecho del rey don Fernando sobre Calahorra. Dijéronle que no. Don Fernando llegó donde estaba Rodrigo, bajó del caballo, le ayudó a desarmar y le dio un abrazo muy fuerte. Ya desarmado, salieron del campo, muy contentos todos los castellanos con esta victoria. Si grande fue la alegría del rey don Fernando y de su gente, no fue menor el pesar del rey don Ramiro y sus aragoneses, quienes cogieron el cuerpo de Martín González y lo llevaron a enterrar a su tierra. De esta manera quedó Calahorra por el rey don Fernando.

Viendo los ricoshombres castellanos cómo aumentaba la fama de Rodrigo, resolvieron proponer a los moros una batalla para el día de la Santa Cruz, en el mes de Mayo, a la que, de acuerdo con ellos, llevarían a Rodrigo para que le matasen. De este modo esperaban conservar su poder y vengarse de él. Hechas estas proposiciones a los reyes moros que Rodrigo había cautivado y libertado y que se habían declarado vasallos suyos, cuando éstos vieron la falsedad de los grandes señores, cogieron las cartas y se las mandaron a Rodrigo para que pudiera defenderse de ellos. Rodrigo, leídas las cartas y oídos los mensajeros, agradeció mucho su lealtad y llevó todo al rey don Fernando para que viese la maldad de los ricoshombres y especialmente del conde don García, que luego fue llamado don García de Cabra y que era ya entonces su peor enemigo. Don Fernando, al saberlo, quedó espantado y resolvió desterrarlos a todos. Como él se iba en romería a Santiago, mandó a Rodrigo que los echara de la tierra. Rodrigo hizo lo que el rey le mandaba. Entonces vino a verle su hermana doña Elvira, que estaba casada con el conde don García y se puso de hinojos ante él. Rodrigo la cogió por la mano y la levantó, sin querer escucharla hasta que no lo hiciera. Puesta de pie, le dijo doña Elvira:

—Hermano: pues nos echáis de Castilla a mí y a mi marido, os ruego que nos deis cartas para alguno de los reyes moros, vasallos vuestros, pidiéndole que nos favorezca y nos dé un lugar en el. que podamos vivir. Mucho os agradeceremos esta merced.

Entonces Rodrigo le dio una carta para el rey de Córdoba, quien recibió muy bien a don García y le dio, por consideración a Rodrigo y para que viviesen él y su mujer, la ciudad de Cabra. Luego fue muy ingrato el conde don García con el rey de Córdoba y le hizo la guerra.

Estando en Galicia el rey don Fernando entraron los moros por Castilla. Los cristianos de la frontera pidieron a Rodrigo que los ayudase. Al recibir el mensaje, Rodrigo reunió a sus parientes y a sus amigos y salió contra ellos. Los moros, que habían cogido muchos cautivos y mucho ganado, ya se volvían. Rodrigo los atacó entre S. Esteban de Gormaz y Atienza. Fue esta batalla muy reñida. Venció Rodrigo, quien los persiguió durante siete leguas y les quitó toda su presa. Tanto botín hubo que el quinto fueron doscientos caballos, los que bien podrían valer cien mil maravedíes. Rodrigo lo repartió todo muy bien y sin codicia alguna y se volvió cubierto de gloria.

Deseando el rey don Fernando tomar Coimbra se fue a Santiago en romería, siguiendo el consejo de Rodrigo de Vivar, quien le aseguró que Dios le ayudaría. Le dijo también que quería que le armase caballero dentro de Coimbra. El rey, ansioso de tomarla y viendo que Rodrigo le aconsejaba bien, se fue a Santiago, dando muchas limosnas. En Santiago estuvo en oración tres días con sus noches, haciendo penitencia y pidiendo a Dios le concediese lo que

le pedía. Con ayuda del Apóstol reunió su hueste, se fue contra
Coimbra y la cercó, valiéndose de castillos de madera y de otras
máquinas de guerra. Pero la ciudad era tan fuerte que resistió
siete años. Por fin el rey don Fernando la tomó y pudo armar
caballero a Rodrigo en la mezquita mayor, que fue consagrada a
Santa María. Hízole caballero ciñéndole la espada y besándole
en la boca, pero sin darle la pescozada. Luego tomó Rodrigo la espada del altar y por orden del rey armó a otros nueve mancebos
nobles. Mucho le honró el rey aquel día.

Estando en Zamora el rey don Fernando con toda su gente llegaron allí los mensajeros de los reyes moros que eran vasallos de
Ruy Díaz con mucho dinero que le mandaban como tributo. Qui-
siéronle besar la mano delante del rey. Rodrigo no les quiso dar la
mano mientras no besasen la de don Fernando. Cuando lo hubieron
hecho se hincaron de rodillas ante Ruy Díaz, le dieron el tributo y
le llamaron Cid, que quiere decir en su lengua señor. Rodrigo recibió el dinero que le enviaban y pidió al rey que tomase el quinto,
en reconocimiento de señorío. El rey se lo agradeció mucho, aunque
no quiso quedarse con nada, y mandó que en adelante le llamasen
Cid, ya que los moros así le llamaban.

En un concilio que el papa Urbano [3] mandó celebrar, al que
asistieron el emperador y muchos reyes cristianos y grandes señores,
quejóse el emperador de que el rey de España no le reconociera
señorío ni le pagara tributo, como los demás. El papa entonces
mandó amonestar a don Fernando para que lo hiciera, amenazán-
dole con predicar una cruzada e ir contra él. También el emperador,
el rey de Francia y los otros reyes que con él estaban le enviaron
decir que le desafiarían si no pagaba el mismo tributo que los
demás reyes en reconocimiento de vasallaje. El rey don Fernando,
al leer las cartas, se alarmó mucho, porque comprendió que podía
resultar de esto mucho daño para los reinos de Castilla y León.
Entonces resolvió pedir consejo a los ricoshombres y a los caballeros.
Éstos no sabían qué aconsejarle, ya que por un lado veían lo poderoso que el papa era y por otro el daño y la mengua que sufrirían

---

[3] Debe referirse a Urbano II (1088-1099). Contemporáneos suyos
fueron el emperador Enrique IV (1056-1106) y el rey de Francia Feli-
pe I (1060-1108).

Castilla y León si se hacían tributarios. Al fin le aconsejaron que obedeciese. A esta reunión asistió · el Cid, que hacía poco tiempo había consumado su matrimonio con doña Jimena y estaba con ella. Cuando volvió a la corte el rey le enseñó las cartas, le dijo lo que los demás le habían aconsejado y le pidió que le diera él también su consejo, como debe hacer todo buen vasallo. Al Cid disgustó mucho más el consejo que le habían dado todos los demás que el mensaje del papa, y le dijo al rey:

—Señor: bien podréis decir que en mal día nacisteis si en vuestro reinado España, que nunca ha pagado tributo a nadie, lo empieza a pagar. Toda la honra que Dios os ha dado y todo el bien que Él os ha hecho se disiparán. El que os lo haya aconsejado no es buen vasallo ni desea vuestro bien. Yo os aconsejo, por el contrario, que desafiéis a vuestros enemigos y que, pues os piden contestación, se la vayáis a dar en persona. Los reyes moros, vasallos vuestros, bien os podrán dar cinco mil caballeros. Yo seré vuestro aposentador e iré delante de la hueste a tomaros posada con mil novecientos de los míos. Dios, señor, que os ama mucho, no permitirá que perdáis vuestra honra.

El rey se tuvo por bien aconsejado del · Cid Ruy Díaz, se animó mucho y le agradeció el celo que mostraba por su servicio.

El rey don Fernando contestó al papa, diciéndole que no quisiese hacer una sinrazón tan grande como aquélla, pues España había sido reconquistada, a fuerza de sangre, por los españoles, quienes por esta causa no habían sido nunca tributarios ni estaban dispuestos a serlo, aunque tuvieran que morir por ello. También mandó sus cartas al emperador y a los demás reyes, diciéndoles que bien sabían que lo que le pedían era deshonroso y además injusto por no estar fundado en derecho y carecer el emperador de jurisdicción sobre él y su reino; por lo cual les rogaba que le dejasen hacer la guerra a los enemigos de la fe, como venía haciendo. Si no querían dejarle, se declararía enemigo suyo y los desafiaría. En este caso ya les buscaría donde todos estaban. Al mismo tiempo que respondía de este modo, mandó el rey a sus gentes que se prepararan, según le había aconsejado el Cid Campeador. En vista de que no le llegaba respuesta alguna, salió de España con ocho mil novecientos caballeros, unos suyos y otros del Cid, que mandaba la vanguardia. Desde que pasaron los puertos de Aspa las gentes se

les mostraban muy hostiles y no les querían vender nada, pero
el Cid se puso entonces a saquear y a talar los campos de los que
se negaban a aprovisionarlos y a tratar muy bien a los que lo hacían.
De esta manera cuando llegaba el rey don Fernando tenían de
todo, ya que las gentes se asustaban mucho al oír contar lo que iba
haciendo el Cid Campeador.

El conde don Ramón, señor de Saboya, fue encargado por el
rey de Francia de detener a don Fernando. Se vino el conde con
veinte mil lanzas al sur de Tolosa, donde se encontró con Ruy
Díaz el Cid, que venía abriéndole camino al rey. Hubo una batalla
muy reñida y con muchos muertos y en la que el conde quedó
preso con buena parte de su hueste. Entonces el conde le rogó al
Cid que le soltase y se ofreció a darle una hija que tenía, que era
muy hermosa. Pusiéronse de acuerdo, envió por su hija, se la dio
y quedó libre. En esta hija del conde tuvo el rey don Fernando
a su hijo bastardo, el que fue cardenal. Después de esto ganó el
Cid otra nueva batalla contra la hueste del rey de Francia, sin
que participara en ella don Fernando. Ya llegaban al concilio noticias del Cid y de sus victorias. Como ni el emperador ni los
reyes sabían qué hacer, pidieron al papa que le ordenara que se
volviese y que le dijera que no quería ningún tributo del rey don
Fernando. Estando éste al norte de Tolosa recibió las cartas. Pidió
consejo al Cid y a los ricoshombres, quienes le dijeron que pidiera
al papa que mandara a un cardenal con autorización para tratar
con él de estos asuntos y declarar en su nombre que en el futuro
nadie podría reclamar de España ningún tributo. También le aconsejaron que pidiese vinieran representantes del emperador y de
los demás reyes con autorización para reconocer que él estaba libre
de vasallaje, y que les dijera que mientras venían él seguiría allí,
y que, si no lo hacían, él iría a buscarlos donde ellos estaban.
Con esta embajada envió don Fernando al conde don Rodrigo, a
Alvar Fáñez Minaya y a otros caballeros que sabían de derecho.

Cuando los emisarios llegaron al papa y le dieron las cartas del
rey don Fernando, el papa se alarmó mucho y reunió en consejo
a todos los príncipes, prelados y ricoshombres que asistían al concilio. Todos le dijeron que debía hacerse lo que pedía el rey, ya
que ninguno se atrevería a lidiar con él, vista la buena ventura de
su vasallo el Cid Campeador. Entonces el papa envió con poderes

a Micer Roberto, cardenal de Sta. Sabina. También vinieron representantes del emperador y de los demás reyes. Todos declararon que nadie podría reclamar tributo a los reyes de España. Los pactos que se hicieron fueron firmados por el papa, el emperador y los otros reyes y sellados por todos. Mientras esto pasaba el rey don Fernando estuvo allí seis meses. El papa le pidió que devolviera a la hija del conde de Saboya, que estaba ya de cinco meses y medio, lo que hizo el rey don Fernando por consejo del Cid, no ocultando al papa la verdad y rogándole que la tuviese bajo su custodia hasta que diera a luz. Así lo hizo el papa. De ella nació el abad don Fernando, a quien el papa apadrinó, educó muy bien y concedió dispensa para que pudiera acumular diversas dignidades. El rey don Fernando se volvió a su tierra cubierto de gloria. Por esto fue llamado don Fernando el Magno, par de emperador [4], y se dice de él que pasó los puertos de Aspa a pesar de franceses.

---

[4] Par de emperador se llamaba al rey que por no ser vasallo del emperador gozaba en su reino de los mismos derechos que el emperador dentro del imperio.

EL ABAD DON JUAN DE MONTEMAYOR

El abad don Juan, que vivía en el castillo de Montemayor, fue hombre de santa vida y señor de todos los abades que en aquel tiempo había en Portugal. Dios Nuestro Señor hizo muchos milagros por su intercesión. Sucedió que un día en que iba el abad a oír los maitines de Navidad, que se cantaban muy solemnemente, encontró a un niño que habían dejado a la puerta de la iglesia. Este niño había nacido de un pecado muy feo, pues era hijo de dos hermanos. El abad don Juan, cuando le vio, se compadeció de él, le cogió en sus brazos y entró en la iglesia, donde mandó que le bautizaran con el nombre de García. Creyó don Juan que el niño, que era hermoso y apuesto, sería hijo de algún caballero; por lo cual le dio a criar a dos señoras de buen linaje. Ellas le criaron con mucho regalo por complacer al abad, que tanto se preocupó de él y que se hacía querer de todo el mundo. Cuando el niño creció y vio el abad que era muy valiente y que tenía habilidad para todo, pensó que debería aprender a leer, pues nadie puede llegar muy alto si desde muchacho no se le enseña. Pensando en estas y en otras cosas tocante al futuro de García, a quien había recogido y hecho criar, le envió con una carta suya y con todo lo que a un caballero le es menester, a su sobrino el rey don Ramiro [1], que entonces celebraba cortes en León.

---

[1] Aunque todo este poema es muy novelesco se diría que el rey don Ramiro de que aquí se habla es Ramiro III (966-984), contemporáneo de Almanzor (978-1008), que tomó Santiago el 997, reinando ya Bermudo II (984-999). La ciudad de Coimbra, tomada por Fernando I el 9 de julio de 1064, estaba en esta época en poder de los moros.

El rey don Ramiro de León, cuando le vio y hubo leído la carta del abad, se agradó mucho de él y le recibió muy bien, así como a todos sus acompañantes, mandándoles dar lo que necesitaran en atención al abad don Juan.

García era hombre tan educado y hablaba con todos tan cortésmente que no había nadie que no le estimara. Todos los caballeros buscaban su trato. El mismo rey don Ramiro le quería mucho y no estaba contento sin él. Sucedió que un día, en que el rey celebraba cortes muy solemnes, mandando llamar a García, le preguntó:

—Hijo: ¿queréis ser caballero?

Respondió don García que no había nada que deseara tanto como recibir la orden de caballería, sobre todo si era de su mano. Dijo esto porque entonces no había príncipe más poderoso por estas tierras. El rey don Ramiro mandó a García que hiciese su vigilia en la iglesia, según acostumbraban los que querían ser caballeros. García pidió a los que ya lo eran y a todos los hidalgos que le acompañaran en su vigilia, puesto que el rey tenía por bien armarle caballero, y con todos ellos la celebró, como don Ramiro le había mandado. Al día siguiente armó caballero el rey a García con mucha pompa y le dio por vasallos a otros trescientos caballeros, diciéndole:

—Hijo García: fijaos bien en lo que hago por vos.

Contestóle García que rogaba a Dios Nuestro Señor que se lo pagara y que le diese a él ocasión de mostrar toda su gratitud. Entonces le mandó el rey que se volviese al abad, que le había criado, y que no peleara ni atacara a nadie más que por orden del abad don Juan. Don García se despidió del rey don Ramiro y de todos los caballeros de su corte y, saliendo de ella, llegó por sus jornadas al castillo de Montemayor, donde vivía su señor el abad.

Cuando supo don Juan que García regresaba de la corte del rey don Ramiro se alegró mucho y salió a recibirle con mucha gente, mandando hacer en el castillo grandes regocijos para celebrar su vuelta y loando a Dios por haberle dejado llegar en paz, por la honra que había ganado en la corte del rey y por lo mucho que cabía esperar de él. Al entrar en Montemayor les señaló don Juan, a él y a sus gentes, buenos aposentos y les mandó dar muy bien de comer y todas las cosas que necesitaran. Estaba el abad don

Juan tan satisfecho, por el cariño que tenía a García, que difícilmente se podría expresar.

Un día en que don García cazaba por el monte y llegó a orillas de un río donde gustaba de pasear, pensó hacer una traición muy grande, lo que inmediatamente puso por obra. Llamando a dos escuderos suyos de los que él más se fiaba, les dijo:

—Amigos: os diré, si me prometéis guardarlo, un secreto muy grande y que puede ser muy provechoso para todos. Antes, sin embargo, tenéis que jurarme a fe de hidalgo que lo guardaréis.

Ellos contestaron:

—Señor: no hay nada que podáis decirnos de que no estemos dispuestos a guardar secreto; por traidor sea dado el que lo divulgare. Esta promesa os hacemos como a señor nuestro: guardaremos secreto todo lo que ahora en adelante queráis decirnos, aunque tengamos que morir por ello.

Entonces don García les dijo:

—El secreto que quiero confiaros es que he llegado a la conclusión de que la ley de los moros es mucho mejor y vale más que la cristiana, por lo que querría que nos fuésemos a un lugar donde yo pudiera hacerme moro y vosotros conmigo, y quitarme este nombre feo de García y ponerme otro nombre mejor. Después haremos tanto daño a los cristianos que el rey Almanzor nos lo tendrá en mucho. Éste es mi deseo.

Tantas cosas les dijo y tanto les prometió el traidor que los dos guardaron muy bien el secreto y a nadie dijeron lo que habían hablado a orillas del río. De vuelta al castillo de Montemayor el abad don Juan les recibió muy bien. Sentáronse a la mesa con el abad y comieron muchos manjares y muy bien guisados.

Después de comer se alzó don García ante el abad don Juan y todos los demás que con él estaban y dijo que agradecía a Dios y a su señor el abad el haberle puesto en situación de llegar a tener tantos y tan buenos vasallos, por lo que pedía a don Juan le hiciese merced de dejarle ir con sus gentes a pelear contra el traidor de Almanzor, que esperaba, con ayuda de Dios y de sus compañeros, hacerle retirarse hasta Granada. Respondióle el abad:

—Bien veo, don García, que tenéis razón, pero yo no quiero que lo hagáis, porque el rey Almanzor es tan poderoso que no

hay nadie en el mundo que pueda con él. Temo que a vos también
os derrote, pues, como he dicho, es poderosísimo.

Replicó don García que, aunque supiese que había de morir,
no dejaría de hacerlo, si él le daba licencia. Contestóle el abad:

—Hijo don García: pues estáis resuelto, solo os pido por amor
de Dios que os cuidéis mucho y a toda la gente que con vos lleváis y
que no os expongáis sin necesidad.

Don García le contestó que estuviera tranquilo, que así lo haría,
y que estaba dispuesto a ir a tierras de moros sin dejar a éstos pasar
de Alcalá. Cuando don Juan oyó esto a don García, a quien había
criado, se alegró mucho, pensando que lo haría como lo anunciaba,
y díjole:

—Hijo: ahora veo cuán bien hice en criaros. Os ruego que, pues
queréis hacerlo, no tardéis en ello, que yo os daré todo lo que vos
y vuestra gente necesitéis para llevar a cabo tal empresa. Hijo don
García: vos tenéis trescientos caballeros. Yo os daré doscientos
más, que serán quinientos. A cada uno de ellos daré dos caballos
que lleven de las riendas, una mula para montar y un palafrén para
la impedimenta. También les daré dos pares de vestidos de escar-
lata forrados de cendal, y todas las camisas que quisieren: unas
serán de seda; las demás, de hilo. A cada caballero le daré dos
escuderos con un sayo de paño y otro de viado [2] y capas oscuras
y dos mozos para las bestias vestidos de viado. Además de esto
pagaré la soldada de todas estas gentes por cuatro años.

Al oír al abad don Juan se acercó don García y le besó la mano,
dando gracias a Dios y al abad su señor por el bien que le hacían.

Cuando don García tuvo todo lo que el abad le había prometido,
salió con sus gentes de Montemayor. El abad le acompañó toda una
jornada. Al despedirse le dijo:

—Hijo don García: por Dios os ruego que os acordéis de mí
y volváis lo más pronto posible, pues no tendré tranquilidad hasta
que no os vea de nuevo sano y salvo.

Entonces el abad llamó a un sobrino suyo, llamado Bermudo
Martínez, que era hombre muy bueno, muy leal, muy inteligente
y de muy buen linaje. Cuando éste se acercó, le dijo a don García:

---

[2] Ignórase qué clase de tela sería el viado, aunque de este texto se
deduce que era por su calidad inferior al paño.

—Ved aquí a vuestro hermano Bermudo Martínez, a quien
le mando ir con vos. Guardaos el uno al otro, como buenos hermanos. Os pido por Dios, hijo don García, que obréis de manera
que siempre oiga hablar bien de vos.

Don García y Bermudo Martínez prometieron hacer, con ayuda
de Dios, lo que él les pedía. Al separarse, el abad don Juan lloró
rogándoles por la pasión de Cristo que no dejaran de hacer lo que
él les había pedido, pues no tendría contento hasta que ambos volvieran. Idos ellos, quedó el buen abad muy desconsolado.

Don García y Bermudo Martínez fueron marchando hasta que
llegaron muy cerca de Córdoba, donde estaba Almanzor. Don García llamó a uno de sus escuderos a quienes él se había confiado y
le mandó que llevase a Almanzor una carta suya. Cuando Almanzor
leyó la carta, se alegró mucho y llamando a sus caballeros y a
otras gentes de otros reinos que en su corte estaban, salieron a recibir a don García a una legua de la ciudad. Cuando el rey moro
y don García se vieron se abrazaron como si fueran hermanos. Esto
sorprendió mucho a Bermudo Martínez, quien temió que estuviesen
tramando alguna traición. Después que Almanzor y don García
hubieron hablado un rato en secreto, tomó aquél a éste de la mano
y se fueron a Córdoba con todas sus gentes. Allí don García y los
suyos se aposentaron en el mismo palacio de Almanzor, quien
los trató de un modo que aumentaba la sorpresa y recelo de Bermudo Martínez.

Después de aposentado don García, levantóse ante los cristianos
que con él estaban y dijo a Almanzor:

—Señor: sabed que he venido aquí con todas estas gentes a
deciros que quiero hacerme moro y ser vuestro vasallo, lo mismo
que mis compañeros, porque me he persuadido de que la ley de los
cristianos no es verdadera; por lo que quiero vivir en la vuestra
de hoy en adelante.

Entonces Almanzor mandó llamar a sus alfaquíes [3] y a sus almuédanos, quienes trajeron consigo a otros treinta y dos teólogos
famosos. Todos vestían ricas almejías [4]. Después de oír al rey co-

---

[3] Los alfaquíes son entre los moros los doctores o sabios de su religión. Los almuédanos son los que llaman al pueblo a la oración a las horas
canónicas desde los alminares de las mezquitas.

[4] Especie de túnica que usan los moros.

gieron a don García y le llevaron a la mezquita. Al llegar a la puerta, hincó don García las rodillas en tierra, renegando de la fe cristiana, del bautismo y la confirmación y prometiendo a Mahoma combatir a los cristianos y hacerles todo el daño posible el resto de su vida. Luego entró en la mezquita, donde fue circuncidado y bebió su sangre, como manda el rito musulmán. Quitándole el nombre de García los moros, le pusieron el de Zulema.

Cuando esto vio Bermudo Martínez dejó la puerta de la mezquita y, sin ir a su alojamiento, llamó a un escudero de quien él se fiaba y díjole que le llevase su caballo a la misma puerta por donde entraron. Abandonando en Córdoba todo lo que le había dado el abad don Juan, se fue a la puerta, donde ya estaba el escudero con el caballo, y, montando en él, comenzó a huir muy de prisa. No iba Bermudo Martínez por ningún camino, sino que cruzaba campos y montes, llorando mucho y maldiciendo de su ventura y de la hora en que había nacido. Mucho se sorprendía de que Nuestro Señor no castigara tamaña traición y de que la tierra no se abriera para tragar a don García, a quien había criado el abad don Juan. También pedía a Dios que le permitiera salir de tierra de infieles para volver a ver al abad y contarle la maldad y traición de don García. Sabed que Bermudo Martínez anduvo siete días sin poder comer él y su caballo nada más que las hierbas del campo ni beber otra cosa que agua de los ríos; al cabo de ellos quiso Dios que llegara al castillo de Montemayor, donde vivía el abad.

Éste, al ver llegar a su sobrino tan amarillo y desconsolado, le dijo:

—¡Ay, Bermudo Martínez! ¿Cómo venís así? ¿Qué es de vuestro hermano don García? ¿Qué noticias me traéis de él? ¿Vive o ha muerto?

Bermudo Martínez le contestó:

—Señor: sabéis que don García, a quien en mala hora criasteis y amasteis, se ha hecho moro en Córdoba. Zulema es el nombre que tiene ahora.

El abad don Juan, al oír esto, cayó sin sentido. Al recobrarse de su desmayo se levantó y dijo:

—¡Ay, hijo Bermudo Martínez! ¿Es verdad que aquél a quien tanto amé y a quien crié con tanto regalo se ha hecho musulmán?

Contestóle Bermudo Martínez:

—Señor: que yo pierda vuestro cariño y vuestra bendición si no le vi cuando le llevaron a la mezquita de Córdoba y se arrodilló ante el rey Almanzor y todos los demás que con él estaban y renegó del bautismo y la confirmación y prometió a Mahoma luchar siempre contra los cristianos y hacernos todo el daño que pudiese el resto ·de su vida. También renegó de sus padrinos y de sus madrinas. Y le circuncidaron y le dieron luego a beber su propia sangre, según dispone la ley de los moros. Y, quitándole el nombre de García, le pusieron el de Zulema. De esta manera se convirtió en moro y se hizo vasallo del rey Almanzor.

Cuando don Juan oyó esto comenzó a lamentarse de tal modo que no hubo nadie que no le compadeciera. Maldecía de sí mismo y de la hora en que había nacido y se quejaba de que Dios Nuestro Señor, que le había concedido tantos bienes, le mandara ahora tan gran pesar. Pedíale a Dios que en aquel momento le diese muerte y que no prolongara su triste vida.

Cuando don Zulema se hubo·hecho moro le mandó llamar el rey Almanzor y le hizo casar con la hija del más ilustre caballero de Córdoba. Se hicieron en esta boda tantos regocijos que es imposible contarlos todos. Nunca se vieron tantas trompetas ni tantos juglares ni tantos albogones, dulcemeles y atabales como entonces. ¡Mucha fue la honra que el rey Almanzor hizo a don Zulema! Tales fiestas duraron un año.

Poco tiempo después mandó Almanzor llamar a don Zulema, a quien amaba más que a ningún otro de su corte, para charlar un rato con él. Don Zulema le dijo:

—Señor: sabed que yo he venido a Córdoba a serviros, combatiendo con los cristianos, nuestros enemigos, para ganar honra y que aumente tu fama.

Respondióle Almanzor que él le daba licencia para hacer lo que por bien tuviese. Añadió don Zulema:

—Señor: yo sé muy bien cuán grande es el miedo que los cristianos os tienen; sé también cuáles son sus castillos y qué gentes hay en cada uno de ellos. Conozco muy bien todas las entradas y salidas de Portugal. Si os parece bien, convocad aquí para un día determinado a toda vuestra gente y que el que no venga pierda vuestra gracia.

Aquel mismo día escribió Almanzor a todas las provincias de su reino, mandando a sus gentes venir a Córdoba a los veinticinco días de la fecha. Los moros que se juntaron eran tantos y de tan diversas partes que no se entendían unos a otros. El número de caballeros debió de llegar a los ciento cincuenta mil; el de los peones a trescientos mil. Esto sin contar las gentes de Córdoba, que eran tantas que no las cuento. Diremos solo que todas las sierras y todos los valles estaban cubiertos de moros, de manera que no parecía que nadie pudiese defenderse de ellos.

Cuando estas gentes estuvieron reunidas, salieron al mando de Almanzor y de don Zulema y fueron a atacar a Villafranca del Bierzo. Pronto los infieles la destruyeron, matando a todos los cristianos. De allí adelante hicieron lo mismo con todas las villas y lugares que hallaron. Vierais andar a los cristianos por montes y sierras, de cincuenta en cincuenta y de ciento en ciento, hambrientos y miserables, llorando y dando voces hombres y mujeres, padres e hijos, como las ovejas cuando las apartan de sus corderitos. No hallando ya por ninguna parte cristianos que se defendiesen, los moros se fueron para Santiago, cercaron la ciudad y, entrando en ella por la fuerza, mataron a todos sus habitantes y la destruyeron. Nadie quedó vivo en todo Santiago. Dijo entonces don Zulema a Almanzor:

—Señor: esta ciudad es santa para los cristianos y la más importante de todo su reino. Ahora verás cuán ciegos son éstos y cuán falsa es su religión. Para probar lo cual entraré a caballo en la iglesia mayor y quemaré todo lo que en ella encuentre; así se verá que no tengo miedo a ese Santiago.

Respondióle Almanzor:

—Haced todo lo que queráis, que no dejará de parecerme bien.

Mandó entonces el rey pregonar a sus gentes que nadie osara entrar a hacer daño a la iglesia mayor, porque era casa de oración, sino don Zulema, y que cualquier otro que entrase supiera que por ello habría de morir. Entró en seguida don Zulema a caballo con toda su gente, hizo quemar todo lo que había en la iglesia, puso su caballo cerca del Apóstol y yogó con su mujer encima del altar. No contento con esto el perro descreído quemó la hostia, que es verdaderamente el cuerpo de Dios. En castigo de ello quiso el Señor que reventara el caballo dentro de la iglesia.

Después que don Zulema hubo hecho esto se fue a Almanzor y le dijo:

—Señor: creo que en lugar de seguir adelante deberíamos irnos por Portugal, que es tierra muy rica.

Contestóle el rey que haría lo que él tuviese por más conveniente y mandó a los moros ponerse en marcha. Matando a todos los cristianos y destruyendo todas sus villas y sus castillos, llegaron a Coimbra, que también destruyeron. Más de diez mil personas murieron allí. Aniquilada su población el ejército moro se puso de nuevo en movimiento y fue Mondego arriba, hasta que Almanzor quiso que otra vez armaran las tiendas y descansasen en un campo que no estaba lejos del castillo de Montemayor. Don Zulema se acercó al castillo donde se había criado y lo combatió sin piedad ninguna, dándosele muy poco de la crianza que había recibido del abad don Juan. Muy afligido estaba éste mirando el daño que los cristianos recibían del que él había criado. Viendo que tenían que defenderse, mandó el abad levantar barreras alrededor del castillo en aquellos lugares donde le parecieron más necesarias, armar a sus gentes, tanto de a caballo como de a pie, y distribuirlos en cuadrillas, poniendo al frente de cada una a un caballero por capitán. A cada cuadrilla señaló el sitio que defenderían. Hecho esto, el abad los arengó diciéndoles que no tuvieran miedo de los moros, que eran como ovejas. Aquel mismo día atacaron los moros y pelearon con los cristianos hasta el oscurecer. Aunque muchos moros murieron, de los cristianos murieron muy pocos. Al día siguiente por la mañana cabalgó don Zulema con dos de los suyos, se acercó al castillo y preguntó a los que hacían la guardia si estaba dentro el abad don Juan. Contestáronle que sí estaba el que le había criado y que había sido su bienhechor, aunque tan mal se lo agradecía. Entonces don Zulema pidió le llamasen, porque quería hablar con él, si el abad le daba seguridad de no ser atacado. Muy pronto el abad apareció entre las almenas y dijo a Zulema:

—¿Eres tú García, a quien yo crié e hice tanto bien?

Contestó el renegado:

—No soy yo García, aunque reconozco que me habéis criado, por lo que os tengo cariño y respeto. Por eso he pedido al rey Almanzor, que es el mejor rey de todo el mundo, y él me ha prome-

tido que os llevará a Córdoba y os hará señor de todos los almuédanos de su corte.

Replicóle el abad:

—¿No sabes, traidor, que el hijo de Dios descendió a la tierra,
sufrió por nosotros, murió en la cruz para redimirnos y bajó a los
infiernos para sacar las almas de Adán y de todos los justos, de
los patriarcas y de los profetas?

Respondió don Zulema:

—No sé nada de eso. Tan solo os digo que os hagáis moro, ya
que Almanzor está dispuesto a haceros tamaña merced.

Gritóle el abad:

—Vete ya, traidor, si no quieres que te tiren flechas, pues Dios
Nuestro Señor debe estar enojado de lo mucho que hablo contigo.

Volvió a decir don Zulema:

—Señor abad: ¿tan enfadado estáis que no queréis seguir mi
consejo? Pues que así es, sabed que hoy mismo entraré en el castillo y quemaré todo lo que en él haya y mataré a todos los hombres
y haré cortar los pechos y matar luego a todas las mujeres y cortar
las piernas a todos los niños y matarlos dándoles contra los muros.
Hecho esto os mataré, sacándoos los ojos y la lengua y despedazán-
doos con tenazas ardientes. Luego os haré colgar de las almenas de
ese castillo y no os quitaré hasta que los buitres os hayan comido
toda la carne. Después os haré reducir a polvo, que el viento es-
parcirá en todas direcciones. Esto haré con vos por no haber querido
seguir el consejo que os acabo de dar. A ver de qué os sirven vuestra fe y vuestra religión.

Volvió a gritarle muy indignado el abad don Juan:

—Vete, traidor, que ya me arrepiento de haberte hablado. Aunque me amenaces con que has de entrar en el castillo y destruirlo
todo, ni de ti ni del rey Almanzor tengo miedo ninguno porque
confío en Dios y en los apóstoles S. Mateo y Santiago que te
castigarán por tus maldades, que tienen más de diabólico que de
humano.

Don Zulema entonces volvió las riendas al caballo y se fue
para el rey.

Después de esto el abad don Juan se hincó de rodillas y pidió
a Dios y a la Virgen María que se apiadaran de él y que hiciesen
que con ayuda de los apóstoles Santiago y S. Mateo pudiera defen-

derse de los enemigos. Mientras tanto don Zulema le decía al rey:

—Sabed, señor, que el abad don Juan no quiere daros el castillo y que habrá que tomarlo.

Entonces Almanzor mandó a sus gentes que en seguida se armasen y que fueran a asaltar el castillo, lo que hicieron con tanto ímpetu que el abad tuvo que salir a rechazarlos. Hasta la noche no cesó la pelea. Muchos moros murieron. Al final regresaron a su campamento. También los cristianos volvieron a entrar en el castillo, muy necesitados de descanso. Al día siguiente por la mañana se reanudó el combate. Con celo admirable cuidaban los suyos al abad don Juan, que cuando atacaba a los moros con la espada desnuda parecía el lobo entre las ovejas. Nunca su sobrino Bermudo Martínez se apartaba de él; su figura se alzaba sobre sus gentes como si fuera un pendón al que todos siguiesen. Al llegar la noche moros y cristianos tuvieron que interrumpir otra vez el combate.

Muchos cristianos que andaban huidos por los montes venían al castillo a ayudar al abad. Un día llegaban ciento y otro doscientos; al siguiente, mil; otras veces venían tal y como andaban por los montes, con sus capitanes y trayendo consigo la mejor gente que podían. Muchos caballeros y grandes señores llegaban también, y los que no, mandaban a Montemayor armas y gente; aunque poco o nada era todo esto ante el número de moros que los atacaban, pues para un cristiano había doscientos moros. Tres años estuvo cercado el castillo. En este tiempo experimentaron los sitiados la verdad del proverbio, que dice que todos los que mucho tiempo están cercados, sin poder rechazar a los enemigos, ven aumentar sus males cada día y mejorar a sus adversarios. Tanta hambre pasaron los cristianos de Montemayor que de buena gana se habrían comido unos a los otros. Una cabeza de burro llegó a valer en el castillo veinte y treinta reales.

Habiendo llegado la penuria a este extremo el abad don Juan convocó en el patio del castillo a todos los suyos. Reunidos en el patio se alzó y les dijo:

—Amigos: ya veis el hambre que estamos pasando, que de buena gana nos comeríamos unos a los otros, y todas las demás estrecheces que sufrimos por nuestros pecados y por un traidor a quien en mala hora crié. Pues ello es así yo querría que, si os parece bien y puesto que somos, entre religiosos y seglares, novecientos caballeros, nos dividiéramos en tres escuadrones. Mientras dos de ellos peleamos con los moros, el tercero puede quitarles sus provisiones y traérselas para el castillo. Los demás atacaremos con tanto ímpetu y tendremos tan ocupados a los enemigos que el tercer escuadrón podrá traer fácilmente al castillo los víveres que coja y ayudarnos luego. No nos preocupemos por los cristianos que hayan de morir, pues es necesario que los que queden tengan provisiones para sostenerse. Creo que lo que he pensado es mucho mejor que morirnos de hambre dentro del castillo. De otra manera yo no sé ya cómo podremos defendernos.

Todos los demás dijeron que les parecía muy bien este plan y que diese las órdenes necesarias para ponerlo en práctica en seguida.

Al día siguiente por la mañana el abad don Juan con seiscientos caballeros salió del castillo y fue a atacar a los moros, a quienes comenzaron los cristianos a herir sin piedad. Mientras tanto el tercer escuadrón les quitó a los infieles todas las provisiones de que pudo echar mano. Llevados al castillo los mantenimientos, fuéronse a ayudar al abad don Juan y a los que peleaban. El abad se alegró mucho al verlos venir. Combatiendo el abad descubrió de qué lado estaba la tienda del rey y se fue para allá, seguido de su gente. Al llegar a ella vio que el rey Almanzor y don Zulema estaban jugando al ajedrez y, tirándoles la lanza que llevaba en la mano con mucha fuerza, atravesó la tienda y la hincó en el tablero, con lo que se desordenaron las piezas y acabó la partida. Muy asustados se quedaron el rey y Zulema. Éste tomó la lanza, la conoció y dijo:

—Señor: yo bien sé que esta lanza es del traidor de don Juan. Ahora veréis cuán cobarde es y cómo ha venido en busca de su muerte.

Entonces el rey mandó armar a todos los moros y salir en pos del abad, que no vaciló en atacarlos de nuevo. Muy bien guardaban todos los cristianos al abad don Juan, que estaba armado de todas las armas. Ni un momento se apartaba de él su sobrino. Todos le miraban como si fuera el ángel del Señor. Hasta la noche, que se separaron, duró la batalla. Muy afligido el abad don Juan por los cristianos que aquel día habían muerto, aunque no eran muchos, se lamentaba al volver al castillo, pidiendo a Dios que no demorara su muerte. Solo se consolaba al pensar que por cada cristiano habían muerto más de cien moros.

Al llegar al castillo el abad don Juan juntó todas las provisiones cogidas a los moros y las repartió tan bien entre los suyos que todos quedaron muy satisfechos. Por milagro tuvieron los moros el que los cristianos pudieran comer.

Al día siguiente por la mañana comenzó de nuevo el combate. El abad don Juan, delante de los suyos, se metió en lo más recio de la pelea. El que recibía un golpe de su espada caía a tierra muerto. Terminó esta batalla al ponerse el sol. Increíble fue el número de moros que allí murieron, pero había tantos que, en lugar de disminuir, parecía que el mundo estaba lleno de ellos y que cada vez vinieran más. Llegó a haber tantos moros que ya el campamento se extendía hasta el pie del castillo, por lo que los cristianos no osaban salir. En esto llegó la fiesta de S. Juan Bautista, a fines de junio. El abad don Juan se disgustó mucho, recordando cómo en otras ocasiones la había celebrado con más alegría. Mandando a todos los del castillo que vinieran a misa y esforzándose por serenarse, el abad don Juan se revistió de las armas de Dios y empezó a cantarla muy alegremente. Después del Evangelio predicó, contando los milagros que había hecho Nuestro Señor y cómo vino a morir en la cruz para salvar a los pecadores y cómo resucitó al tercer día y bajó a los infiernos para sacar las almas de los justos que estaban allí. También les dijo que las estrecheces que estaban sufriendo serían en el cielo coronas de gloria. Entonces todos los asistentes se echaron a llorar con mucho desconsuelo y dijeron:

—Señor: nosotros no tenemos más apoyo en el mundo que Dios y vos. Por eso no haremos más que lo que nos mandéis.

Al oír esto el abad les pidió que se arrodillaran, que se arrepintieran de sus pecados y que pidieran a Dios y a la Virgen Santísima que los librase del peligro en que estaban y que les mandase a los apóstoles Santiago y S. Mateo para que los ayudasen contra los infieles. Después les dijo:

—Amigos míos: bien veis el apuro en que nos encontramos y que los moros están ya tan cerca del castillo que solo esperamos que entren en él. Si queremos huir, nos harán prisioneros o nos matarán. Si queremos meternos bajo la tierra, ella no se abrirá para recibirnos. Tampoco podemos subirnos al cielo. Si queremos salir del castillo, nos atacarán, entrarán en él, cogerán a nuestras mujeres y a nuestros hijos y les harán las afrentas que ellos acostumbran, obligándoles a apostatar y a hacerse musulmanes, con lo que irán todos al infierno. También cogerán y se llevarán todo lo que aquí nosotros tenemos. Esto y mucho más harán esos traidores. Por lo cual nos conviene tomar consejo de Dios y de los hombres sabios y prudentes.

Ellos contestaron:

—Señor: nosotros no necesitamos tomar consejo más que de Dios y de vos. Haremos lo que nos mandéis, aunque sepamos que hemos de morir.

Entonces les dijo el abad don Juan:

—Amigos: ya todos veis la estrechez en que estamos, pues no habrá nadie que no la vea. Por eso os digo que he pensado una cosa que, aunque sea dura para el cuerpo, es servicio de Dios y la salvación de todas las almas. Creo que debemos matar a los viejos, a las mujeres, a los niños y a todos aquellos imposibilitados de pelear, quemar todo el oro, toda la plata y todo lo demás que haya en el castillo y salir a atacar a los moros, para morir luchando con ellos. Dios Nuestro Señor tendrá misericordia de nosotros. Los que matemos irán al cielo a aposentarse ellos y a prepararnos sitio a nosotros. De este modo ya no tendremos preocupación por lo que aquí dejemos. Esto a mi parecer es mucho mejor que el que los moros se lleven a vuestras mujeres, a vuestros hijos y a los demás familiares vuestros para hacerles las mayores afrentas que nunca se vieron.

Respondieron todos llorando:

—Señor abad: pues creéis que esto es lo mejor, estamos dispuestos a hacer de buena gana lo que nos mandáis.

El abad don Juan les ordenó entonces que, acabada la misa, se reunieran todos en el patio grande, donde acostumbraban a deliberar.

Cuando el abad terminó la misa, se fue adonde estaba doña Urraca, su hermana. Doña Urraca, al verle, se levantó y dijo:

—Bien seáis venido, hermano y señor. Mucho me agrada vuestra venida, ya que no tengo en el mundo otro amparo que vos.

Contestóle el abad:

—Hermana doña Urraca: me gusta mucho lo que me decís; solo siento que esto durará ya poco.

Preguntó doña Urraca:

—¿Por qué decís esto?

Respondióle don Juan:

—Porque habéis de morir.

Replicó doña Urraca:

—¿Cuál es el motivo, mi buen señor?

Explicóle el abad:

—Porque hemos resuelto matar a los viejos, a las mujeres, a los niños y a todos aquellos que no pudieren manejar las armas.

Preguntó de nuevo doña Urraca:

—Hermano y señor: ¿han de morir mis hijos?

Él dijo que sí y le mandó a su hermana que se los llevara para el patio grande. Apartóse el abad de doña Urraca, llorando mucho por no poder hacer otra cosa con sus familiares. Ella se sentó dando tales gritos como si quisiera horadar el cielo. Lloraba tanto que no habría ninguna mujer en el mundo que no se conmoviera de su dolor. Entonces doña Urraca cogió a sus cinco hijos y los puso en el patio, uno al lado del otro. Miraba lo hermosos y pequeños que eran, que ninguno de ellos había llegado a uso de razón y decía que esperaba en Dios que habrían sido buenos, pues eran hijos de un escudero muy noble y también por su parte de muy buen linaje; ella soñaba que con ayuda de Dios y de su hermano el abad don Juan habría llegado un día en que pudiera enorgullecerse de todos ellos. Dicho esto doña Urraca los abrazaba, los miraba, los volvía a abrazar y los besaba con tan gran dolor que caía desmayada. Al volver en sí gritaba, diciendo:

—Hermano: ahora podéis hacer lo que tengáis por bien de ellos y de mí.

A don Juan, al oír esto, se le llenaron los ojos de lágrimas. Un rato estuvo sin poder hablar, hasta que dijo:

—Hermana doña Urraca: venid acá vos y traed a vuestros hijos y recibid la muerte por amor de Aquél que murió por salvar a los pecadores.

Todos los que allí estaban, hombres y mujeres, se compadecían mucho de doña Urraca y de sus cinco hijos. Entonces el abad cogió la espada y se fue adonde estaban su hermana y sobrinos. Díjole doña Urraca:

—Hermano y señor: por Dios os ruego que me matéis antes que a mis hijos, para ahorrarme el dolor de verlos morir.

Cogió doña Urraca un lienzo, se tapó los ojos y se hincó de rodillas ante el abad. Alzó éste la espada y cortó primero la cabeza a su hermana; después cogió a sus cinco sobrinos y, degollándolos uno tras otro, los echó sobre el pecho de la madre. Los demás hombres, al ver lo que había hecho el abad don Juan con su hermana y sobrinos, hicieron lo mismo con sus familias, sin perdonar a padre ni a madre, a mujer ni a hijos. Cuando ya no quedaba ninguno vivo, como os hemos dicho, el abad don Juan y los que quedaron dieron tan grandes gritos y lloraron tanto que no hay nadie en el mundo a quien no se le partiera el corazón de oírlos. Tales eran sus voces que los moros que estaban en las bastidas se preguntaron qué podría ser. Después reunieron todo el oro y toda la plata, todas las ropas y todos los muebles que había en el castillo y los quemaron sin dejar nada. Vierais arder magníficas ropas, de las mejores que había en aquel tiempo. Hizo el abad don Juan una revisión por todo el castillo a ver si quedaba algo por quemar, y, no encontrando nada, volvió al patio y dijo:

—Amigos: puesto que no dejamos aquí en el castillo a nadie por quien tengamos que preocuparnos, pues nuestros familiares han muerto todos y ahora son mártires y se han ido al cielo a prepararnos sitio, y tampoco dejamos en el castillo nada de valor, pensemos en Dios y en la Virgen María y pidámosles perdón de nuestros pecados y que nos envíen a los apóstoles Santiago y S. Mateo para que nos ayuden contra los moros. Vayamos a atacarlos y, del mismo modo que Nuestro Señor sufrió pasión y recibió la muerte por salvarnos, recibámosla nosotros en ensalzamiento de la fe católica.

Entonces se abrazaron unos a los otros, comulgaron y se perdonaron todas las ofensas, para que Dios los perdonase a ellos. Se armaron muy bien los caballeros y los peones y, habiendo montado los primeros, salieron por una puerta, que se llamaba la Puerta del Sol, y fueron a atacar impetuosamente a los moros, que no pudieron por menos de retroceder. Vierais allí cómo los cristianos los herían muy de recio y sin piedad alguna con sus espadas, lanzas y mazas. No hubo nunca en el mundo mayor combate. Todos los suyos, pero sobre todo su sobrino Bermudo Martínez, cuidaban al abad mejor que si fuera su padre. El abad don Juan era muy valiente y fuerte caballero; al caer sobre los moros parecía un lobo matando ovejas. Tanta mortandad hicieron los cristianos que no había en el campo por donde andar. De vuelta al castillo, dijo don Juan a sus gentes:

—Señores: dé de comer cada uno a su caballo lo mejor que pueda, ya que han trabajado mucho y es razón que descansen.

Aquella noche el rey Almanzor mandó llamar al traidor de Zulema y le dijo:·

—Don Zulema: ¿qué ha pasado aquí? Hace más de tres años que sitiamos este castillo, sin poder derrotar a esos perros cristianos. Ahora, cuando creía que estábamos a punto de entrar en él, se muestran los cristianos más valientes que nunca.

Replicó don Zulema:

—Señor: el abad don Juan es tan fuerte, tan valiente y tan buen caballero que es difícil formarse idea. También es buen jinete y hábil estratega. Por esta razón no podremos vencerle más que haciendo lo que os propondré.

El rey Almanzor le preguntó qué le proponía. Respondió don Zulema:

—Como el abad don Juan es muy amigo del rey don Ramiro de León y de don Gerardo de Astorga, que son ambos parientes suyos, creo que para vencerle debéis hacer un pendón con las armas de don Ramiro, que es un león de oro sobre campo blanco, y otro con las de don Gerardo, que son en campo de oro dos toros blancos; hechos los pendones, yo los cogeré y me iré esta noche a aquel bosque con trescientos caballeros de los que se hicieron moros; mañana por la mañana nos dirigiremos al castillo; ellos creerán que somos don Ramiro y Gerardo de Astorga y nos abrirán las puertas. Entonces podremos derrotarlos. De otra manera no creo que podamos vencer al abad.

Contestó Almanzor que el consejo era bueno y que lo hiciese como lo decía. Al día siguiente cogió don Zulema los dos pendones y los puso en lo alto de sendas lanzas y, cuando se hizo de noche, se fue al bosque a ocultar con los trescientos caballeros. Al salir el sol se vinieron todos hacia el castillo agitando los pendones, tocando las trompas y los añafiles y diciendo a voces:

—¡El rey don Ramiro y Gerardo de Astorga!

Los cristianos, al verlos, comenzaron a prepararse gozosamente para recibirlos, y, llamando al abad, le dijeron:

—¡Señor! ¡Dios nos ayuda, pues veis que aquí vienen el rey de León y Gerardo de Astorga con un gran ejército!

El abad don Juan, al oir esto, se alegró mucho y se fue a poner entre las almenas, desde donde miraba con detenimiento los dos pendones y a las gentes que los traían. Al final les dijo:

—Amigos: ciertamente aquí vienen el rey don Ramiro y Gerardo de Astorga; se diría que son perseguidos por los moros y que lo han pasado bastante mal. Pero yo me pregunto de dónde pueden haber reunido a tantísima gente. ¿No será esto una traición más del alevoso a quien crié en mal hora? Es necesario saber la verdad. Para esto voy a salir yo a recibirlos sin más compañía que algunos de mis monjes, que se quedarán en lugar desde donde puedan venir a ayudarme mientras hablo con ellos. Si efectivamente es el rey don Ramiro, este día será el más señalado de toda mi vida. Yo entonces me vendré con ellos al castillo. Si por ventura fuere el traidor que tanto daño nos ha hecho, nadie podrá salvarle la vida; después que le mate haga Dios de mí lo que por bien tuviere. ¡Quisiera Dios concederme la gracia de que cayeran mi cabeza y la suya!

Dicho esto, añadió el abad:

—¿No querrá ninguno de vosotros prestarme sus armas y coger las mías para que yo no sea conocido?

Ninguno quería hacerlo, pues todos sabían que el que llevase las armas de él se vería atacado por los mejores caballeros moros y habría de morir, por lo que se excusaron uno tras otro. Cuando el bueno de Bermudo Martínez, sobrino suyo, vio que ninguno le quería dar las armas y coger las suyas, se acercó y le dijo:

—Señor abad: tomad mis armas y dadme las vuestras, y que en tal hora os ayude Dios contra ese traidor y os dé la victoria que codiciáis.

Entonces el abad cogió las armas de Bermudo Martínez, se armó muy bien y salió del castillo sin llevar consigo más que a trescientos monjes a caballo, a los que mandó ocultarse en un bosque, mientras él iba solo a ver quiénes eran los que venían. Ordenó a los monjes que si le viesen acercarse en compañía de ellos, que los salieran a recibir con toda cortesía, pero que si veían que él los atacaba, fueran en seguida a combatir también.

El traidor de don Zulema no conoció al abad por el cambio de armas y creyó que el que venía era Bermudo Martínez, por lo que le dijo:

—Acercaos más y decidme dónde está el abad.

Respondióle don Juan:

—Allí entre aquellos caballeros, y os envía esta espada en señal de bienvenida. Muy bien sabe él lo que le queréis por haberos criado y que no han venido aquí los moros por consejo vuestro.

Hablaba el abad don Juan de modo que don Zulema no reconociese su voz. Mientras éste alargaba el brazo para coger la espada, el abad don Juan, alzándose sobre los estribos, le dio tal golpe que le cortó la cabeza y el brazo. Cuando los monjes, que estaban ocultos, vieron esto, salieron de prisa y fueron a ayudarle. Sabed que no hubo ningún monje que no matara por lo menos diez moros. Al ver el combate los del castillo salieron también. Tantas ganas tenían de pelear todos que apenas se daban lugar unos a otros. De los trescientos caballeros que tenía don Zulema no escaparon con vida más que dos, que llevaron la noticia al campamento moro, diciendo a Almanzor:

—¡Socorrednos, señor, que ha muerto don Zulema y todos los demás que él llevó consigo!

El rey Almanzor les preguntó quién había matado a don Zulema. Respondiéronle:

—Bermudo Martínez. Y además, señor, os podemos jurar por la ley de Mahoma que nunca hemos visto una herida tan grande.

Entonces Almanzor se levantó y dijo:

—No creo que haya sido Bermudo Martínez, sino el abad don Juan, y puesto que el abad ha muerto a don Zulema, lo mismo hará conmigo si le espero aquí.

Mandó entonces el rey Almanzor que le trajeran pronto su caballo. Cuando vino el caballo, lo montó el rey y comenzó a huir muy de prisa y con tanto miedo que a cada momento volvía la cabeza, temiendo que le siguieran, pues temía al abad como al mismo demonio. Los demás moros, cuando vieron esto, comenzaron a huir detrás de él. Tanta prisa tenían que no se esperaban ni padres a hijos, pues cada uno de ellos quería adelantarse. El abad don Juan no quiso dejarlos irse de este modo. Puestos a perseguirlos él y su gente, mataron o hirieron a muchos de ellos. Doce leguas duró la persecución. No pudo el abad, por estar cansado, alcanzar a Almanzor, con el que de buena gana hubiera hecho lo mismo que con don Zulema. Díjole entonces el abad al rey:

—Vuelve, traidor, ya que blasonas de no temer a ningún cristiano.

Entonces Almanzor, muy enojado, se volvió al abad y le tiró la lanza con tanta fuerza que le atravesó el escudo y pasó la loriga, aunque no permitió la misericordia de Dios que la lanza llegara a don Juan a la carne. Después de esto ya no quiso esperarle el rey Almanzor. El abad no dejó de seguirle, gritándole:

—Vuelve, traidor, que yo soy el abad don Juan y quiero mostrarte cómo se pelea con los cristianos, pues presumes de ello.

Si no hubiera sido por el cansancio de su caballo es indudable que el abad don Juan le habría alcanzado y hecho con él como con el traidor de don Zulema, a quien había criado. No pudiera el abad derrotar a Almanzor si Nuestro Señor no le hubiera ayudado. Al final los cristianos tuvieron que detenerse y pasar la noche en un bosque muy grande que se llamaba el bosque de Alcobaza.

Con el nuevo día le llegó al abad la noticia de que todas las personas a quienes habían matado en el castillo vivían de nuevo. Al oír esto el abad se levantó de donde había dormido, muy cansado por el combate y las preocupaciones, e hincando las rodillas en tierra y alzando las manos al cielo, dijo devotamente esta oración:

—Señor, que hiciste el mundo y todas las cosas que en él hay, y naciste de la Virgen María, y sufriste pasión y muerte por salvar a los pecadores, y resucitaste al tercer día, como habías anunciado a tus discípulos, y bajaste al infierno y sacaste de allí a Adán, a los patriarcas, a los profetas y a todos los justos que te esperaban: yo te doy gracias y te bendigo y no cesaré de bendecirte nunca. También reconozco que esta victoria Tú la has obtenido y que siempre has sido misericordioso con los míos y conmigo, pues nada se hace sin tu voluntad. Tú eres, Señor, el verdadero Dios, Padre, Hijo y Espíritu Santo.

Después de hecha esta oración, el abad don Juan le dijo a su gente que fueran al campamento del rey Almanzor y que cogiesen todo lo que los moros hubieran dejado, pues Dios quería que fuese suyo, y que lo llevasen a Montemayor, dándoles a él y a sus monjes la cuarta parte, pues quería fundar en el mismo sitio en que se encontraba un monasterio en el que se sirviese a Dios y se practicasen las obras de misericordia, ya que había resuelto quedarse allí. Por lo cual la gente de Montemayor se tuvo que separar del abad don Juan. Al día siguiente, despedidos de él, se fueron para el campamento donde Almanzor fuera derrotado, en el que encontraron grandes riquezas, que se repartieron, después de mandar su parte al abad, como éste les mandó. Hizo don Juan edificar en el mismo lugar en que se había quedado un monasterio, en el que pasó el resto de su vida sirviendo a Dios y dándole gracias por la infinita misericordia y mucha bondad que mostró con ellos, tanto dándoles victoria contra los moros como resucitando a los que habían matado en el castillo. Allí vivió don Juan muy santamente hasta que entregó su ánima al Creador. Entonces vinieron los del castillo y le llevaron con mucha pompa a enterrar en él, donde ha hecho Dios grandes milagros por intercesión de su siervo don Juan.

ÍNDICE

SE ACABÓ DE IMPRIMIR ESTA QUINTA
EDICIÓN DE «LEYENDAS ÉPICAS ES-
PAÑOLAS» EL DÍA 12 DE MARZO
DE 1976, EN LOS TALLERES DE
ARTES GRÁFICAS SOLER, S. A.,
DE VALENCIA, BAJO EL
CUIDADO DE AMPARO
Y VICENTE SOLER
GIMENO

LAUS ✠ DEO